Ramona S

Mikrotransaktionen in Onlinespielen

Wie "Free-to-Play"-Spiele in der virtuellen Welt reales Geld einnehmen

Bibliografische Information der Deutschen Nationalbibliothek:

Die Deutsche Nationalbibliothek verzeichnet diese Publikation in der Deutschen Nationalbibliografie; detaillierte bibliografische Daten sind im Internet über http://dnb.d-nb.de abrufbar.

Impressum:

Ein Imprint der Open Publishing GmbH

Druck und Bindung: Books on Demand GmbH, Norderstedt, Germany

Coverbild: GRIN | Freepik.com | Flaticon.com | ei8htz

Inhaltsverzeichnis

1 Einleitung

Onlinespiele erfreuen sich bedingt durch das steigende und vielfältige Spielangebot im Internet einer immer größeren Beliebtheit unter den Spielern. Wie aus den Daten des BIU (Bundesverband Interaktive Unterhaltungssoftware e. V.) hervorgeht, wurden für das Jahr 2014 allein in Deutschland 17,4 Millionen Nutzer digitaler Spiele verzeichnet, im Jahr 2013 sollen es 16,3 Millionen Spieler gewesen sein. Zu bemerken ist die annähernd gleichmäßige Verteilung der Nutzenden über die Altersspanne von 10 bis 50 Jahren bei einem Durchschnittsalter von 34,5 Jahren.[1] Laut den Veröffentlichungen des BIU gibt es 40% weibliche und 60% männliche Onlinespieler.[2] Hieraus wird ersichtlich, dass Onlinespiele für eine heterogene Gruppe von Spielern interessant sind.

Die sogenannten Free-to-Play-Spiele leisten hierbei einen wichtigen Beitrag für die steigende Attraktivität der Onlinespiele, da sie den Spielern einen kostenlosen Zugang zum Spiel bieten. Dabei besteht für die Spieler die Möglichkeit, zusätzliche Inhalte für das Spiel zu kaufen. Die Entscheidung zu solchen Käufen ist den Spielern jedoch freigestellt. Dieses Erlösmodell hört sich zunächst nach einer risikoreichen Einnahmequelle an, generiert allerdings einen hohen Umsatz, welches später noch genauer erläutert wird. Daraus leiten sich vorerst die Fragen ab, welche Umstände zur Entwicklung dieses Erlösmodell führten und welche Methoden die Hersteller anwenden, um höhere Umsätze zu generieren? Im Hinblick auf den Erfolg dieses Modells kann zudem eine zweite Frage nach den Motivationsfaktoren der Spieler formuliert werden: Was motiviert die Spieler dazu, diese weder physisch existenten, noch knappen Güter mit realem Geld zu erwerben?

Auf der Gegenseite treten Free-to-Play-Spiele wegen dieser kostenpflichtigen Zusatzleistungen, unter Bezugnahme auf Jugendschutzbedingungen und exzessivem Spielverhalten, in den Medien häufig negativ in Erscheinung. Den Herstellern der kostenlosen Spiele wird vorgeworfen, dass sie die Spieler nicht ausreichend über

---

[1] Vgl. Bundesverband Interaktive Unterhaltungssoftware: Nutzer digitaler Spiele in Deutschland 2014. http://www.biu-online.de/marktdaten/infografik-nutzer-digitaler-spiele-in-deutschland-2014/, abgefragt am 13.07.2016.

[2] Vgl. BIU: Online- und Browser-Games: Geschlecht der Nutzer. http://www.biu-online.de/marktdaten/online-und-browser-games-geschlecht-der-nutzer/, abgefragt am 13.07.2016.

das Erlöskonzept informieren würden und so einige Spieler im Endeffekt mehr Geld zahlen, als mit einer festgelegten Nutzungsgebühr.[3] Die Gefahr für junge Spieler in Bezug auf Internetsucht und Realitätsflucht in Onlinespielen wurde schon häufig thematisiert und wird mit den Free-to-Play-Spielen wieder in das Licht gerückt. Dabei führen die kontroversen Haltungen von Kritikern gegenüber des mittlerweile auf dem Markt etablierten Free-to-Play-Konzepts zu einem Dilemma: Das Spielkonzept und die damit einhergehende kostenlose Zugänglichkeit kann nur garantiert werden, wenn Spieler für die zusätzlichen Inhalte im Spiel zahlen.

Während eines Auslandssemesters in Portugal besuchte ich ein Seminar zu den neuen Medien, in welchem die virtuelle Welt der Onlinespiele und die verschiedenen Erlösmodelle behandelt wurden. Daraufhin entschied ich mich dazu, meine Bachelorarbeit in diesem Themengebiet anzusiedeln, da die Finanzierungsmodelle der Onlinespiele und damit auch die Auswirkungen auf den Spieler, einem stetigen Wandel unterworfen sind. Diese Bachelorarbeit wird sich schließlich mit der Frage beschäftigen, inwiefern Mikrotransaktionen ein potentielles Risiko für das Spielerlebnis, den Spielbegriff und die Spieler darstellen können?

Hierzu soll zunächst ein Überblick über die Begriffsdefinition von Onlinespielen, deren Entstehung und ihrer Klassifizierung gegeben werden. Daraufhin werden die Besonderheiten der *Massively Multiplayer Online Games* (MMOGs) wie ihrer virtuellen Umgebung dargestellt und anhand des Onlinespiels *League of Legends* erläutert. Zudem sollen die Definitionen und Eigenschaften von virtuellen Items und Währungen innerhalb der Onlinespiele angeführt und erläutert werden, um danach das Free-to-Play-Modell und die dazugehörigen Mikrotransaktionen eingehender zu betrachten. Dazu wird der Blick auf die jugendliche Zielgruppe und ihre psychologischen Eigenschaften geworfen. Im Anschluss werden verschiedene Motivationsfaktoren, welche die Spieler zum Kauf virtueller Items anregen, vorgestellt. Darunter fallen die Verkaufsmethoden der Hersteller, die Selbstpräsentation in virtuellen Welten in Hinblick auf den Einfluss von Peergroups und der Community und schließlich die Auswirkungen der psychologischen Konzepte wie des Flow-Effektes und des magischen Kreises. Daraufhin werden mögliche Risiken des Free-to-Play-Modells beschrieben und auf ihre Relevanz geprüft. Als Risi-

---

[3] Vgl. Lin, Holin/Sun, Chuen-Tsai: Cash Trade in Free-to-Play Online Games. In: Games and Culture H. 3/6. Jg. (2011), S. 270-287, S. 281.

kofaktoren werden die Beeinträchtigung des Spielerlebnisses, der Vergleich zwischen Glücksspiel und Glücksspielinhalten in MMOGs und den Auswirkungen auf die Spieler und die Differenzierung des Spiel- und Arbeitsbegriffs angeführt. Ein Resümee der zusammengetragenen Ergebnisse und die Beantwortung der Leitfrage dieser Arbeit erfolgen im Fazit.

2 Onlinespiele: Begriffsdefinition und Entwicklung

Hinsichtlich der begrifflichen Beziehung von Onlinespielen zum Internet oder Spiel weisen viele Definitionen Ungenauigkeiten auf, da es keine einheitliche Begriffserklärung gibt. Trotzdem soll ein Definitionsversuch unternommen werden, indem der ursprüngliche Spielbegriff zunächst behandelt wird, um ein Verständnis für Onlinespiele zu entwickeln und die durch das Onlinespiel verursachten Veränderungen zu erfassen. So definiert der Kulturhistoriker Huizinga in seinem Werk „Homo Ludens" das Spielkonzept wie folgt:

> „[P]lay is a voluntary activity or occupation executed within certain fixed limits of time and place, according to rules freely accepted but absolutely binding, having its aim in itself and accompanied by a feeling of tension, joy and the consciousness that it is 'different' from 'ordinary life'."[4]

Der Autor Aufenanger hebt in Anlehnung an Huizinga einen weiteren Punkt zur Kennzeichnung von Spiel hervor: „Spielen ist von Arbeiten unterschieden. Es verfolgt keinen Zweck, jedenfalls keinen Zweck außerhalb des Spielens. Mit dem Spielen möchte ich nichts erreichen."[5] Die wichtigsten Aspekte für die Definition des Spielbegriffs seien nach Aufenanger: Freiheit, Regel und Regellosigkeit, Unendlichkeit und Geschlossenheit, Fiktion und Realität.[6] Hier lassen sich Widersprüche erkennen, die mit dem Onlinespiel noch deutlicher werden und im vierten Kapitel weiter behandelt werden sollen.

Im engeren Sinne bezeichnet der Begriff *Onlinespiel* eine breite Masse an digitalen Spielen, „die mit Hilfe des oder über das Internet spielbar sind."[7] Onlinespiele sind *mit Hilfe* des Internets zugänglich, wenn sie einen virtuellen Raum beschreiben, welcher von Dreyer, Lampert und Schmidt als „Spielort" bezeichnet wird, den „die Spielteilnehmer (technisch vermittelt) einzeln oder gemeinsam aufsuchen, um sich zu messen."[8] Dagegen werden Onlinespiele *über* das Internet gespielt, wenn

---

4 Huizinga, Johan: Homo Ludens. A Study of the Play-Element in Culture. London 1949, S. 28.

5 Aufenanger, Stefan: Homo Ludens. Zum Verhältnis von Spiel und Computerspiel. In: Arnold Picot/Said Zahedani/Albrecht Ziemer (Hg.): Spielend die Zukunft gewinnen. Wachstumsmarkt elektronische Spiele. Berlin/Heidelberg 2008, S. 13-23, S. 13.

6 Vgl. ebd., S. 14.

7 Dreyer, Stephan/Lampert, Claudia/Schmidt, Jan Spielen im Netz. Zur Systematisierung des Phänomens „Online-Games". In: Arbeitspapiere des Hans-Bredow- Institut 19. Jg. (2008), S. 7-96, S. 9.

8 Ebd., S. 10.

das Internet als Kanal dient, um „spielrelevante Botschaften, Züge, Handlungen auszutauschen.“[9] Im weiteren Sinne können beispielsweise die Spiele, die aus dem Internet heruntergeladen werden, für die Spielnutzung jedoch keinen Internetzugang benötigen, ebenso als Onlinespiele bezeichnet werden.[10] Der Zutritt zu den Onlinespielen kann über den Computer, aber auch mit anderen technischen Hilfsmitteln wie Konsolen, Smartphones oder Tablets erfolgen.[11] Im Folgenden soll nur auf Onlinespiele eingegangen werden, welche unter die engere Definition fallen und über den Computer zugänglich sind, da sie häufig eine komplexere Spielwelt darstellen.

Die ersten Onlinespiele wurden in den 1970er Jahren entwickelt und konnten über das Advanced Research Projects Agency Network (ARPANET) gespielt werden. Im Jahr 1993 wurde das erste kommerziell erfolgreiche Onlinespiel *Doom* veröffentlicht, welches ebenfalls zum ersten Mal die Vernetzung zwischen Onlinespielern in einem Computerspiel ermöglichte.[12] Die Onlinespiele ergänzten oder ersetzten in einigen Fällen das traditionelle Geschäftsmodell der Computerspielindustrie, bei dem die Spiele mit CD-ROM Produkten verkauft wurden.[13] Darüber hinaus trugen die weitflächige Verbreitung von Internetzugängen und das aufkommende Angebot an Onlinespielen dazu bei, dass sich Onlinespiele in der Computerspielindustrie etablieren konnten.[14]

Onlinespiele werden häufig im Hinblick auf gewaltsame Inhalte oder Suchtpotenzial kontrovers diskutiert. Zeitgleich gibt es Institutionen, die prüfen, „ob und in welcher Form Onlinespiele als ‚seriousgames‘ bzw. ‚educationalgames‘ dazu beitragen können, Wissen über komplexe gesellschaftliche Zusammenhänge zu vermitteln.“[15] Dass Onlinespiele sehr heterogene Einsatzmöglichkeiten haben, zeigt sich an den verschiedenartigen Genres wie Action, Jump-and-Run, Rollenspielen und vielen mehr. Für die Onlinespiele konnten sich verschiedene Erlösmodelle

---

9 Ebd.

10 Vgl. Jöckel, Sven/Schumann, Christina: Spielen im Netz. Online-Spiele als Kommunikation. In: Klaus Beck/Wolfgang Schweiger (Hg.): Handbuch Online-Kommunikation. Wiesbaden 2010, S. 461-484, S. 462.

11 Vgl. ebd.

12 Vgl. Organisation for Economic Co-Operation and Development: Online Computer and Video Games. In: Digital Economy Papers 98. Jg. (2005), S. 1-68, S. 9.

13 Vgl. ebd.

14 Vgl. ebd., S. 27.

15 Vgl. Dreyer/Lampert/Schmidt: Spielen im Netz, S. 9.

wie Abonnement, Pay-to-Play oder Free-to-Play etablieren, welche im dritten Kapitel weiter differenziert werden sollen. Onlinespiele lassen sich nach Jöckel und Schumann in drei Kategorien einteilen: Den traditionellen Computer- und Videospielen mit Online-Modus, den clientbasierten und den browserbasierten Onlinespielen. Die Computer-und Videospiele können mit dem Online-Modus nicht nur offline, sondern auch wie andere Onlinespiele über das Internet genutzt werden. Ihre Spielmodi reichen von kompetitiv (wettkampforientiert) zu kooperativ (gemeinschaftsorientiert).

Die zweite Kategorie bilden die Massively Multiplayer Online Games (MMOGs), welche zwar eine Software auf dem Computer benötigen, also clientbasiert arbeiten, allerdings ausschließlich über das Internet gespielt werden. Die kompetitiven und kooperativen Spielmodi in MMOGs ermöglichen mehreren tausend Spielern gleichzeitig am Spiel teilzunehmen.

Die browserbasierten Onlinespiele als dritte Kategorie laufen über den Webbrowser und müssen nicht, wie es bei den anderen Kategorien der Fall ist, zusätzlich installiert werden können. Die Spielformen der Browsergames stellen eine Mischform der MMOGs und der Computer- und Videospiele mit Online-Modus dar.[16] Die Computer- und Videospiele mit Online-Modus und die browserbasierten Onlinespiele finden hinsichtlich der Analyse von Spielkäufen wegen des Umfangs in dieser Arbeit keine Berücksichtigung; hier sollen nur die MMOGs genauer betrachtet und dazu im Folgenden ihre virtuelle Umgebung vorgestellt werden.

2.1 Virtuelle Welt und MMOGs

Als virtuelle Welt wird eine über das Internet zugängliche elektronische Umgebung bezeichnet, die eine visuell komplexe und physische Welt nachstellt.[17] Sie ermöglicht Onlinespielern über animierte Charaktere zu interagieren, um untereinander Nachrichten oder virtuelle Objekte auszutauschen.[18] Eine virtuelle Welt kann mit einem internetfähigen Computer und einer speziellen Software, welche einen oder mehrere Server verbindet, betreten werden.[19] Die gespeicherten Da-

---

[16] Vgl. Jöckel/Schumann: Spielen im Netz, S. 464.

[17] Vgl. Bainbridge, W. S.: The Scientific Research Potential of Virtual Worlds. In: Science H. 5837/ 317. Jg. (2007), S. 472-476, S. 472.

[18] Vgl. Barnes, Stuart/Guo, Yue: Purchase behavior in virtual worlds: An empirical investigation in Second Life. In: Information & Management 48. Jg. (2011), S. 303-312, S. 303.

[19] Vgl. Bainbridge: The Scientific Research Potential of Virtual Worlds, S. 472.

ten des Spiels befinden sich hierbei meistens auf der Festplatte des Nutzers, während das Spiel über den Server des Spiels läuft. Bone et al. beschreiben die Handlungsmöglichkeiten der Spieler in virtuellen Welten wie folgt:

> "[T]hey can exchange messages, objects, and money; they can communicate through voice over a headset and microphone; they can navigate through the world by walking, running, driving vehicles, flying, and teleporting; and they can 'experience' the world through a rich variety of interactions with it, including dressing, changing their avatars' shapes, touching things, building and owning things, engaging in quests, doing sports, dancing, hugging, and kissing."[20]

In dem Aufsatz *Why People Buy Virtual Items in Virtual Worlds* unterscheiden die Autoren Barnes und Guo zwischen der *game-oriented virtual world* und *freeform virtual world.* In der *game-oriented virtual world* befinden sich die Spieler in einer Geschichte, für die sie Aufgaben in Form von Kämpfen oder strategischem Denken erledigen müssen. Dagegen bietet die *freeform virtual world* den Spielern unbegrenzten Freiraum und unzählige Gestaltungmöglichkeiten, welche sie in einer simulierten Welt nutzen können.[21] Ein Beispiel für die *game-oriented virtual world* ist das Rollenspiel *World of Warcraft* und für die *freeform virtual world* die Onlinespielwelt von *Second Life.*

Inzwischen gibt es einige Unterkategorien der MMOGs wie *Massively Multiplayer Online Role-Playing Games* (MMORPGs) oder *Massively Multiplayer Online First Person Shooter* (MMOFPS), um zwei von ihnen zu nennen. Sie bieten einen Zugang für eine breite Masse an Spielern ohne ein definiertes Spielziel. Demnach sind sie theoretisch unendlich lange spielbar, welches sie von traditionellen Videospielen mit einem festgelegten Ende unterscheidet.[22] Mit dem Endloscharakter der MMOGs steige die Nutzungsdauer der Onlinespiele laut Lin und Sun erheblich. Sie heben außerdem hervor, dass die Onlinespieler die Möglichkeit haben, in den dauerhaft bestehenden Welten Wochen, Monate oder Jahre zu verbringen und

---

[20] Bone, Michael et. al: Virtual worlds – past, present, and future. New directions in social computing. In: Decistion Support Systems H. 3/47. Jg. (2009), S. 204-228, S. 204.

[21] Vgl. Barnes, Stuart/Guo, Yue: Virtual item purchase behavior in virtual worlds: An exploratory investigation. In: Electron Commer Res 9. Jg. (2009), S. 77-96, S. 78.

[22] Vgl. Åslund, Cecilia/Hellström, Charlotta/ Leppert, Jerzy/Nilsson, Kent W.: Influences of motives to play and time spent gaming on the negative consequences of adolescent online computer gaming. In: Computers in Human Behavior 28. Jg. (2012), S. 1379-1387, S. 1379.

einige Spieler dieses auch ausnutzen würden.[23] Die hohe Spieldauer wird zudem durch die freie Wahl und Veränderbarkeit der spielbaren Charaktere begünstigt, da diese zur Erfüllung von Spielspaß und der Selbstpräsentation zur selben Zeit dienen.[24] Zudem werde den Aufgaben und Errungenschaften innerhalb des Spiels eine bedeutende Rolle zuteil, welche innerhalb des Spiels mit Belohnungen honoriert werden, um die Spieler an das Spiel zu binden.[25] Zu diesem Zweck werden MMOGs „über einen langen Zeitraum hinweg inhaltlich weiterentwickelt [...], um Spieler langfristig zu motivieren."[26] Zusätzlich unterstützt wird diese Art der Kundenbindung mit sogenannten Erfahrungspunkten, welche die Spieler für erfolgreich gelöste Aufgaben erhalten. Mit diesen können die Spieler beispielsweise die Fähigkeiten ihrer Charaktere verbessern, um eine höhere Spielstufe zu erreichen und um schwierigere Aufgaben lösen zu können.[27] Trotzdem können einige Aufgaben zu schwierig für einen einzelnen Spielteilnehmer sein. Deshalb finden sich häufig Spieler in Gruppen zusammen, damit sie einen Spielvorteil erzielen können.[28]

Als Beispiel für ein kostenloses MMOG soll das Strategiespiel *League of Legends* (LoL) dienen, welches man den *Multiplayer Online Battle Arena Spielen* (MOBA) zuordnen kann. Das Spiel *League of Legends* wurde von dem amerikanischen Unternehmen *Riot Games* im Jahr 2009 entwickelt, welches im Jahr 2014 um die 85 Millionen Spieler zählte.[29] Der MOBA-Spielmodus vereint Rollen- und Strategiespielaspekte.[30] Für das Spiel muss zuerst der zuvor heruntergeladene Client ge-

---

23 Vgl. Lin/Sun: Cash Trade in Free-to-Play Online Games, S. 273f.

24 Vgl. Chung, Namho/Park, Seung-bae: Mediating roles of self-presentation desire in online game community commitment and trust behavior of Massive Multiplayer Online Role-Playing Games. In: Computers in Human Behavior 27. Jg. (2011), S. 2372–2379, S. 2372.

25 Vgl. Åslund/Hellström/Leppert/Nilsson: Influences of motives to play and time spent gaming on the negative consequences of adolescent online computer gaming, S. 1379.

26 You, Young-Dal: Das Flow-Erlebnis und seine empirischen Implikationen für die Psychotherapie. München 2001, S. 5.

27 Vgl. Schwarz, Torsten: Big Data im Marketing: Chancen und Möglichkeiten für eine effektive Kundenansprache. Freiburg 2015, S. 244.

28 Vgl. Zhong, Zhi-Jin: The effects of collective MMORPG (Massively Multiplayer Online Role-Playing Games) play on gamers' online and offline social capital. In: Computers in Human Behavior H. 6/27. Jg. (2012), S. 2352-2363, S. 2353.

29 Vgl. Backa, Frank: Gaming und Videospiele: Wie das Marketing im Hintergrund funktioniert. Hamburg 2015, S. 9.

30 Vgl. Watson, Max: A medley of meanings: Insights from an instance of gameplay in League of Legends. In: Journal of Comparative Research in Anthropology and Sociology H. 1/6. Jg. (2015), S. 225-243, S. 232.

öffnet werden, bei dem sich der Spieler mit seinem erstellten Benutzerprofil anmelden kann. Über die Benutzeroberfläche kann der Spieler zum Shop des Spiels gelangen oder ein neues Spiel beginnen. In einer Spielrunde treten auf einer Karte drei oder fünf Spieler gegen eine ebenso große Anzahl von Gegenspielern an. Diese Karte ist in zwei Seiten für die zwei Teams aufgeteilt. Auf jeder Seite befinden sich elf Türme, drei sogenannte Inhibitoren und ein Nexus, die es mithilfe der selbstgewählten Charaktere zu zerstören gilt. Dazu müssen die Spieler allerdings die gegnerischen Spieler bekämpfen, um ihre eigene Basis zu beschützen. Sobald der Nexus als letzte gegnerische Instanz von einem Team zerstört wird, wird das Spiel entweder mit einem Sieg oder einer Niederlage beendet.[31] Die Spielzeit ist nicht begrenzt und eine Spielrunde kann nach Belieben theoretisch unendlich oft wiederholt werden. *League of Legends* finanziert sich durch Werbeeinnahmen und durch kostenpflichtige Inhalte wie beispielsweise der Individualisierung eines von über 100 wählbaren Charakteren.[32] Im nächsten Unterkapitel wird auf die Individualisierungsmöglichkeiten und dem Währungssystem in Onlinespielen weiter eingegangen.

2.2 Virtuelle Items und Währungen

In dem Gabler Volkswirtschaftslexikon wird ein wirtschaftliches Gut als „materielles oder immaterielles Mittel, das geeignet ist, die Befriedigung menschlicher Bedürfnisse zu bewirken“[33], gekennzeichnet. Das Bedürfnis eines Menschen stelle den Wunsch dar, einen subjektiv wahrgenommenen Mangel zu beseitigen. Übersteigt die vollständige Befriedigung der menschlichen Bedürfnisse die vorhandene Menge an ökonomischen Gütern, wird von Knappheit gesprochen. Als Reaktion auf die Knappheit von Gütern ergeben sich angepasste Marktpreise.[34] Virtuelle Spielitems können als Güter zur Befriedigung der menschlichen Bedürfnisse verstanden werden. Dabei bestimmen die Spielhersteller die Knappheit und Beschaffenheit der virtuellen Items, indem sie die Verfügbarkeit der theoretisch unendlich nutzbaren und reproduzierbaren Güter, einschränken können.

---

31 Vgl. ebd., S. 233.

32 Vgl. Backa: Gaming und Videospiele, S. 9.

33 Arentzen, Ute/Hadeler, Thorsten/Winter, Eggert: Gabler Wirtschaftslexikon. Die ganze Welt der Wirtschaft: Betriebswirtschaft-Volkswirtschaft-Recht-Steuern. Wiesbaden 2000, S. 1367.

34 Vgl. ebd., S.1746.

"Digital items can be defined as new media elements used by members for presentation, expression, and communication in online environments."[35] Virtuelle Items, die innerhalb eines Spiels zum Kauf angeboten werden, sind zum Beispiel Gegenstände, Spielfiguren, zusätzliche Spielabschnitte, virtuelles Geld oder zusätzliche Spielmodi.[36] Die allgemeine Definition von virtuellen Objekten schließt zudem auch andere virtuellen Inhalte wie zum Beispiel MP3-Dateien ein, welche man in erster Linie nicht in diese Kategorie einordnen würde.[37] Wie können virtuelle Spielitems allerdings von dieser Kategorie getrennt betrachtet werden?

Lehdonvirta unternimmt den Versuch, virtuellen Items die Bedingung zuzuschreiben, dass sie eine Simulation von materiellen Objekten darstellen oder zumindest von diesen inspiriert seien.[38] Fairfield unterscheidet virtuelle Items von Informationsgütern wie MP3-Dateien, indem eine Person eine MP3-Datei an eine andere Person geben kann und die Datei trotzdem selbst noch besitze. Virtuelle Items dagegen könne nur die Person, die sie erworben oder erspielt hat, behalten und sind in diesem Sinne von einer Person nicht zu vervielfältigen.[39] Gleichzeitig kann den virtuellen Items eine Interkonnektivität zugesprochen werden, da die Items nicht nur auf dem persönlichen Computer erscheinen, sondern auch von anderen Systemen zugreifbar sind.[40]

Lin und Sun teilen virtuelle Items in zwei Kategorien ein: Die funktionellen und die dekorativen Items. Die funktionellen Items beschreiben hierbei die verbesserte offensive oder defensive Stärke eines Charakters, welche für Kampfgeschehen im Spiel genutzt werden können. Dazu zählen Waffen, aber auch die reine Fähigkeitsverbesserung eines Charakters. Die dekorativen Items dienen dagegen der Selbstdarstellung von Spielern. Hierunter lassen sich Kleidung, Aussehen, Einrich-

---

[35] Chan, Hock Chuan/Kim, Hee-Woong/Kankanhalli, Atreyi: What Motivates People to Purchase Digital Items on Virtual Community Websites? The Desire for Online Self-Presentation. In: Information Systems Research H. 4/23. Jg. (2012), S. 1232-1245, S. 1232.

[36] Vgl. Grünblatt, Martin: Wie Mikrotransaktionen den Gaming-Markt beleben. Ein Beispiel aus Spanien. In: Marketing Review St. Gallen H. 2/30. Jg. (2013), S. 24-37, S. 29.

[37] Vgl. Lehdonvirta, Vili: Virtual item sales as a revenue model. Identifying attributes that drive purchase decisions. In: Electronic Commerce Research H. 1-2 /9. Jg. (2009), S. 97-113, S. 99.

[38] Vgl. ebd.

[39] Vgl. Fairfield, Joshua A.T.: Virtual Property. In: Boston University Law Review 85. Jg. (2005), S. 1048-1077, S. 1052.

[40] Vgl. ebd., S. 1049f.

tungsgegenstände und alle individualisierbaren Elemente in einem Spiel unterordnen.[41]

> „Even when virtual currencies are sold for real money, the ultimate object of consumption is usually the items."[42]

Es gibt zwei verschiedene Währungsmodelle in Spielen mit Mikrotransaktionen, mit denen die virtuellen Items erworben werden können. Bei der sogenannten „Premiumwährung" wird das reale Geld in eine vom Spiel vorgegebene Währung umgetauscht. Den Spielern steht das gesamte Spektrum an virtuellen Items zum Kauf zur Verfügung. Die zweite virtuelle Währung wird mit gespielten Partien verdient und ermöglicht den Spielern eine begrenzte Anzahl der virtuellen Items im Spiel zu erwerben.[43]

Bei *League of Legends* beispielsweise nennt sich die Premiumwährung „Riot-Points" und die erspielbare Währung wird als „Einflusspunkte" bezeichnet. Mit der Premiumwährung wird den Spielern die Möglichkeit geboten, verschiedene Abbilder von Charakteren, die der Spieler zur Individualisierung nutzen kann, zu erwerben. Auf indirektem Wege kann man sich mit den Riot-Points allerdings auch einen Spielvorteil verschaffen. So sind Runen, die bei *League of Legends* als funktionelle Items zur Verbesserung von verschiedenen Fähigkeiten eingesetzt werden können, zwar nur mit den erspielbaren Einflusspunkten erhältlich, allerdings können die Einflusspunkte mit einem sogenannten *Boost*, welcher für ein Spiel mehr Einflusspunkte generiert, erkauft werden. Dadurch kann die erforderliche Spielzeit wiederum verkürzt und die Runen schneller erlangt werden. [44]

2.3 Free-to-Play und Mikrotransaktionen

Für einige Spiele zahlt der Spieler eine monatliche Gebühr (Abonnement) oder eine Gebühr für jeden einzelnen Aufruf des Spiels (Pay-to-Play).[45] Im Jahr 2004

---

[41] Vgl. Lin/Sun: Cash Trade in Free-to-Play Online Games, S. 271.

[42] Lehdonvirta: Virtual item sales as a revenue model, S. 100.

[43] Vgl. Hanner, Nicolai/Zarnekow, Ruediger: Purchasing Behavior in Free to Play Games. Concepts and Empirical Validation. In: 48th Hawaii International Conference on System Sciences (2015), S. 3326-3335, S. 3327.

[44] Eigene Recherche im Zeitraum von: 15.05.-15.07.2016

[45] Vgl. Crameri, Mario: Effiziente Verrechnung von Kleinsttransaktionen im Internet Commerce. Zürich 2000, S. 83.

wurden erstmalig auf dem Markt kostenlose Spiele angeboten. Schon 2006 war beispielsweise jedes zweite von drei Erfolgsspielen in Taiwan Free-to-Play.[46] Dabei ist der Begriff des Free-to-Plays irreführend, da nicht alle Inhalte des Spiels frei zu Verfügung stehen. Der Erwerb virtueller Items mit realem Geld in einem Spiel wird als Mikrotransaktion bezeichnet.

Die Mikrotransaktionen wurden als Reaktion auf die sinkende Nachfrage der PC- und Konsolenspiele und der Finanzkrise in den Jahren 2009 und 2010 sowohl in die Free-to-Play-Spiele, als auch in die Pay-to-Play-Spiele eingeführt.[47] Die Mikrotransaktionskosten virtueller Items liegen häufig zwischen 0,01 und fünf Euro.[48] Zusätzlich können die Spieler untereinander ihre Items tauschen und verhandeln, welches mit der Zustellung und Eingabe eines Codes für das jeweilige Item erfolgen kann.[49] Nach Angaben des BIU generierte die digitale Spielbranche in Deutschland im Jahr 2015 einen Umsatz von 2,8 Milliarden Euro, davon wurden 562 Millionen Euro durch Mikrotransaktionen in Onlinespielen erzielt.[50] Obwohl die Mikrotransaktionen in vielen Pay-to-Play-Spielen angeboten werden, wird dieser Mechanismus für einige Spiele erst mit dem kostenlosen Zugang für die Nutzer attraktiv. Dabei können als Gegenbeispiel für den Erfolg von Mikrotransaktionen in Pay-to-Play-Spielen Titel wie *Counter Strike* oder *World of Warcraft* genannt werden. Der weltweite Umsatz der Pay-to-Play-Spiele lag im Jahr 2013 bei 2,8 Milliarden Dollar, bei den Free-to-Play-Spielen in dem gleichen Jahr bei 7,5 Milliarden Dollar.[51] Das führt zu der Frage, welche Faktoren die Beliebtheit der Free-to-Play-Spiele auf der Seite der Spieler, aber auch auf der Seite der Hersteller begünstigen?

Zum einen bieten Free-to-Play-Spiele den Spielern einen kostenlosen und vor allem leichten Zugang und fordern bei einer Registrierung kaum Benutzerdaten.[52]

---

[46] Vgl. Lin/Sun: Cash Trade in Free-to-Play Online Games, S. 271.

[47] Vgl. Grünblatt: Wie Mikrotransaktionen den Gaming-Markt beleben, S. 29.

[48] Vgl. ebd., S. 28f.

[49] Vgl. ebd.

[50] Vgl. BIU: Gesamtmarkt Digitale Spiele 2015. http://www.biu-online.de/marktdaten/gesamtmarkt-digitale-spiele-2015, abgefragt am 13.07.2016.

[51] Vgl. SuperData Research: Global massively multiplayer online (MMO) games market revenue from 2013 to 2017, by type (in billion U.S. dollars). http://www.statista.com/statistics/343115/mmo-games-market-revenue-f2p-pay/., abgerufen am 13.07.2016.

[52] Vgl. Barnes/Guo: Purchase behavior in virtual worlds, S. 3326.

Außerdem können die Spieler aus einem breiten Repertoire von kostenlosen Spielen mit verschiedenen Spielschwerpunkten wählen und ohne Kaufzwang ausprobieren. Lin und Sun bemerken allerdings nicht nur positive Aspekte an der freien Spielwahl: "[I]t may also amplify indecision on the part of players wanting to focus on one specific game."[53] Dieses kann sowohl für diejenigen Spieler ein Herausforderung darstellen, die sich aufgrund des großen Angebots nicht für ein Spiel entscheiden können, aber auch für die Hersteller, wenn die Spieler sich nicht an ein Spiel binden und als Folge dessen, nicht für Zusatzinhalte zahlen wollen. Free-to-Play-Spiele bieten allerdings den Vorteil, dass sie eine große Gruppe von Spielinteressierten ansprechen, da auch diejenigen, die nichts für Onlinespiele zahlen wollen, die Möglichkeit erhalten, diese spielen zu können.

Die Hersteller, die ihre Spiele kostenlos anbieten, reagieren auf verschiedene Veränderungen in der Spielbranche, die es einerseits ermöglichten und andererseits erzwangen, dass die Free-to-Play-Spiele sich etablieren konnten. Zum einen sind die Markteintrittsbarrieren zu nennen, die für die Anbieter stark gesunken und schon mit geringem Budget zugänglich sind. Dieser Umstand ermöglicht auch amateurhaften Anbietern und kleineren Unternehmen ihre Spiele im Internet zu Verfügung zu stellen und am Markt zu agieren. Damit steigt die Konkurrenz unter den Spielherstellern.[54] Desweiteren ist die Herstellung von Online Games, speziell die der Browsergames, einfacher geworden, indem die Spielproduktion beispielsweise mit kostenlosen Programmen aus dem Internet erfolgen kann.

Ein wichtiger Aspekt, der für den Erfolg und die Verbreitung des Free-to-Play-Erlösmodells spricht, erläutert Grünblatt:

> „Die positive Wirkung wird damit erklärt, dass die kostenlose Bereitstellung eines Produktes die Anreize zum illegalen Kopieren deutlich verringert. Gleichzeitig soll insbesondere durch Mund-zu-Mund-Propaganda und Empfehlungen der Kreis der Konsumenten erweitert und somit die Finanzierung des Produktes mittels Zukauf von zusätzlichen Leistungen ermöglicht werden.“[55]

[53] Vgl. Lin/Sun: Cash Trade in Free-to-Play Online Games, S. 285.

[54] Vgl. Kempf, Matthias: Die internationale Computer- und Videospielindustrie: Structure, Conduct und Performance vor dem Hintergrund zunehmender Medienkonvergenz. Hamburg 2010, S. 162.

[55] Grünblatt: Wie Mikrotransaktionen den Gaming-Markt beleben, S. 32.

Der sogenannte Schwarzmarkt unter den Spielern stellt eine zusätzliche Bedrohung für die Spielindustrie dar, die mit den Mikrotransaktionen verringert werden soll. Der erste spielunabhängige Tausch und Handel zwischen Spielern, bei dem echtes Geld gegen virtuelle Güter gehandelt wurde, fand im Jahr 1999 auf der Handelsplattform eBay statt.[56] Dort listeten die Spieler ihr erspieltes Eigentum auf und ließen andere Spieler darum bieten.[57] So gibt es heute einige Charaktere vom MMOGs, die auf eBay auf der höchsten Spielstufe gehandelt werden. Dabei können die Spieler „bis zu 10.000,- US-Dollar für einen ausgeprägten Spielcharakter [erzielen].“[58] Der legale Kauf von virtuellen Items innerhalb des Spiels soll den Handel außerhalb des Spiels unterbinden.[59] Denn als Folge eines solchen kommerziellen Austausches von virtuellen Gütern außerhalb des Spiels, kann analog zum realen Markt ein Preisverfall von Spielgütern und schließlich eine Inflation der Spielwährung innerhalb des Spiels hervorgerufen werden.[60] Außerdem ist der Handel im Spiel, anders als bei dem Schwarzmarkt unter Spielern, einseitig – Spieler können virtuelle Items kaufen, allerdings können sie diese nicht wieder verkaufen, welches eine zusätzliche Maßnahme darstellt, um den Geldtransfer außerhalb des Spiels weiter einzuschränken.[61]

Lin und Sun nehmen eine Einteilung von Free-to-Play-Spielern in zahlende und nichtzahlende Spieler vor.[62] Hierbei gäbe es zwei Extreme von Spielertypen, welche es in vorherigen Erlösmodellen so nicht gegeben habe und für Free-to-Play-Spiele kennzeichnend seien. Zum einen sind die zu nennen, die sich kein Abonnement leisten könnten und deshalb auf Free-to-Play-Spiele zurückgreifen würden und zum anderen die Spieler, die einen Betrag zahlen wollen, der teilweise höher sei als bei einer Abonnement-Gebühr.[63] Der Anteil der zahlenden Spieler

---

[56] Vgl. Lehdonvirta: Virtual item sales as a revenue model, S. 98.

[57] Vgl. ebd.

[58] Engberding, Jens: Der Handel mit virtuellen Gegenständen in Online-Spielen. Ravensburg, München 2009, S. 4.

[59] Vgl. Lin/Sun: Cash Trade in Free-to-Play Online Games, S. 281.

[60] Vgl. Engberding: Der Handel mit virtuellen Gegenständen in Online-Spielen, S. 4.

[61] Vgl. Lin/Sun: Cash Trade in Free-to-Play Online Games, S. 283.

[62] Vgl. dies.: Cash Trade Within the Magic Circle: Free-to-Play Game Challenges and Massively Multiplayer Online Game Player Responses. In: Proceedings of DiGRA 2007: Situated Play 4. Jg. (2007), S. 335-343, S. 339.

[63] Vgl. Castranova, Edward/Knowles, Isaac/Ross, Travis L.: Designer, Analyst, Tinker: How Game Analytics Will Contribute to Science. In: Alessandro Canossa/ Anders Drachen/Magy

macht dabei einen geringen Prozentsatz aus, da viele Spieler das kostenlose Spielangebot ohne zusätzliche *In-Game-Käufe* nutzen würden.[64] Die Spieler, die Mikrotransaktionen durchführen, seien hinaus eher gewillt sich über eine längere Zeit mit den Free-to-Play-Spielen auseinanderzusetzen.[65] Wie sich die Käuferschaft virtueller Items darstellt, wird im nächsten Unterkapitel behandelt.

2.4 Spieleralter und psychologische Entwicklung

Für die Käuferschaft von virtuellen Items wird in dieser Arbeit die Altersgruppe der über 10 Jährigen berücksichtigt, da die unter 10 Jährigen laut BIU bisher einen geringen Anteil der Käuferschaft ausmachen. Die Altersgruppe der 10 bis 19-Jährigen mit 22 Prozent hatte im Jahr 2013 einen ähnlich großen Anteil wie die Altersgruppe der über 50 Jährigen mit 21 Prozent.[66] Prinzipiell kann folglich jede Altersgruppe von möglichen Risiken virtueller Käufe in Onlinespielen betroffen sein. Allerdings befinden sich die Jugendlichen in einer wichtigen Phase der psychologischen Entwicklung, in der sie mit äußeren Einflüssen des sozialen Umfelds wie der Familie oder den Freunden versuchen, eine eigene Identität aufzubauen. Nicht zuletzt entsteht für Jugendliche eine besondere Problematik in Bezug auf Spielkäufe, da sie unter dem deutschen Jugendschutzgesetz stehen. Zunächst soll die Entwicklungsphase der Jugendlichen im Hinblick auf die Identitätsbildung untersucht werden.

Der Kulturanthropologe Lackner betont, dass

> „Männer und Jugendliche lange Zeit als Hauptzielgruppe von Computerspielen gesehen wurden, [deshalb] richteten sich auch die Spielproduktionen nach vermeintlich männlichen Anknüpfungspunkten und sprachen [...] diese Zielgruppe besonders an. Viele Spiele werden daher von männlich dominierten Bildern geprägt."[67]

Seif El-Nasr (Hg.): Game Analytics: Maximizing the Value of Player Data. London 2013, S. 665-687, S. 683.

[64] Vgl. Lin/Sun: Cash Trade in Free-to-Play Online Games, S. 278ff.

[65] Vgl. Rabowsky, Brent: Interactive Entertainment: A Videogame Industry Guide. USA 2010, S. 65.

[66] Vgl. BIU: Virtuelle Zusatzinhalte: Alter der Käufer. http://www.biu-online.de/marktdaten/virtuelle-zusatzinhalte-alter-der-kaeufer, abgefragt am: 13.07.2016.

[67] Lackner, Thomas: Computerspiel und Lebenswelt: Kulturanthropologische Perspektiven. Bielefeld 2014, S. 219.

Mit den Free-to-Play-Spielen ändert sich nunmehr die Zielgruppe der Onlinespiele, die durch eine heterogene Spielerschaft ausgezeichnet ist und somit das Bild der geschlechtlich differenzierten Darstellung in Onlinespielen wandeln.

Mienert erklärt in seinem Buch *Total Diffus* die wichtige Phase der Entwicklung von Jugendlichen, in welcher sie versuchen würden, ihre Identität zu finden und sich auszuprobieren. Zur Identitätsfindung biete die von Mienert beschriebene *symbolische Selbstergänzung* die Möglichkeit, eine Persönlichkeit anzudeuten, die man (noch) nicht habe.[68] Die Mittel, mit denen sich die Jugendlichen selbstergänzen würden, definiert er als „bloße Symbol[e] des gewünschten Status."[69] Mit diesen Symbolen können sich die Jugendlichen so verhalten, „als ob (sie [den Status] erreicht hätten), versuchen also nach außen hin, diesen Eindruck zu erwecken und hoffen, dass die anderen [Jugendlichen] ihnen das glauben."[70] Als Beispiel nennt Mienert das Auto, welches zur Symbolisierung eines Erwachsenenstatus genutzt werde. Hierbei bedarf es einer tatsächlichen Anstrengung, um das Symbol zu erlangen: Der Jugendliche muss Geld investieren und sich den Führerschein mit der Fahrleistung erarbeiten. „Es ist kein reines So-tun-als-Ob mehr. Von dem Moment an, ab dem ich Auto fahren kann, habe ich auch einen Entwicklungsschritt geleistet und mich verändert, bin erwachsener geworden."[71]

Dieses stellt er der virtuellen Realität gegenüber, in der es nicht erforderlich sei, etwas zu können, da die alleinige Behauptung schon genügen würde.[72] Das Erlangen eines digitalen Items könne allerdings nicht mit der symbolischen Selbstergänzung der realen Welt in Bezug gesetzt werden, da es keinen Entwicklungsschritt fördere und niemand die Echtheit dieses Symbols überprüfe. Zeitgleich werde in virtuellen Welten kein Entwicklungsschritt gefordert, da es dort wegen der Anonymität keine Grenze zwischen jugendlich und erwachsen gebe.[73]

In der psychischen Entwicklung der Jugendlichen gibt es einige Faktoren, die für die Identitätsfindung wichtig sind. Noack-Napoles bezieht sich auf die Theorie von dem deutsch-amerikanischen Psychoanalytiker Erik Erikson, der ein Stufen-

---

[68] Vgl. Mienert, Malte: Total Diffus. Erwachsenwerden in der jugendlichen Gesellschaft. Wiesbaden 2008, S. 85.

[69] Ebd. S. 65.

[70] Ebd.

[71] Ebd., S. 85.

[72] Vgl. ebd., S. 86.

[73] Vgl. ebd., S. 85.

modell zur Psychosozialen Entwicklung entworfen hat und schreibt der Identitätsfindung in der Schulzeit zwei Perioden zu.[74] Die Identitätsfindungsprozesse, welche vor der Schulzeit stattgefunden haben, würden in der ersten Phase, der Identitätsbildung, zusammengefasst werden. In der zweiten Phase der Identitätsentwicklung erlebe die gebildete Identität eine *Krise*, die der Jugendliche mit der Identifizierung mit Gleichaltrigen oder anderen Personen außerhalb des familiären Umkreises lösen soll.[75]

Die sogenannten Peergroups, welche in der Jugendsoziologie eine gleichaltrige Gruppe von Jugendlichen in einem freundschaftlichen Verhältnis bezeichnet, spielen nicht nur in der zweiten Phase der Identitätsentwicklung eine wichtige Rolle. Im Hinblick auf den Austausch oder der gegenseitigen Unterstützung in der Entwicklungsphase leisten die Peergroups ebenfalls einen wichtigen Beitrag.[76] Hierbei unterscheidet man zwischen prosozialen Peer-Freundschaften, welche die Entwicklung positiv beeinflussen und dissozialen Freundschaften, welche sich negativ auf die Entwicklung auswirken sollen.[77] Je nach Umfeld könne sich das Kind oder der Jugendliche verschieden entwickeln, dabei sei es unwichtig, wie die Freundeskreise aussehen.

> „Einerseits erscheint es plausibel, dass sich Kinder und Jugendliche mit einer hohen Freundschaftsqualität besonders beeinflussen, da sie eine große soziale Nähe zueinander aufweisen. Andererseits ist auch möglich, dass Personen mit wenig stabilen Freundschaften versuchen, diese aufrecht zu erhalten, indem sie sich aneinander anpassen."[78]

Daher könnten Kinder und Jugendliche auf nachteilige Kompromisse innerhalb ihrer Freundeskreise einlassen und Dinge tun, die sie nicht wollen, nur damit sich ihre Freundschaften stabilisieren und sie somit in einem ambivalenten Freundschaftsverhältnis stehen. Gerade bei Problemen in den Beziehungen mit den El-

---

[74] Vgl. Noack-Napoles, Juliane: Schule als Ort des Aufwachsens, der Entwicklung und der Identität. Jugend, Schule und Identität. In: Jörg Hagedorn (Hrsg.): Selbstwerdung und Identitätskonstruktion im Kontext Schule. Wiesbaden 2014, S. 47-62, S. 48.

[75] Vgl. ebd.

[76] Vgl Müller, Christoph Michael/Minger, Melanie: Welche Kinder und Jugendliche werden am stärksten durch die Peers beeinflusst? Eine systematische Übersicht für den Bereich dissozialen Verhaltens. In: Empirische Sonderpädagogik 2. Jg. (2013), S. 107-129, S. 108.

[77] Vgl. ebd.

[78] Vgl. ebd., S.117.

tern, hätten die Peergroups einen starken Einfluss auf die Kinder und Jugendlichen.[79]

In Bezug auf die kindliche und jugendliche Entwicklung wird auch das Thema der Sucht häufig diskutiert, welche beispielsweise als Folge des fehlenden sozialen Rückhalts in der Familie oder im Freundeskreis entstehen kann. Nach Seiffge-Krenke und Skaletz und Krenke spiele auch der psychosoziale Stress eine große Rolle, welcher „einer der größten, wenn nicht sogar der größte Risikofaktor für Pathologie und Psychopathologie während dem Jugend- und dem jungen Erwachsenenalter [sei].“[80] Dabei würde die Ausbildung von psychischen Symptomen nicht nur auf die Stressbelastung selbst, sondern auf die Art und Weise, wie die Person mit ihm umgeht, der sogenannten Resilienz, zurückzuführen sein.[81]

---

[79] Vgl. ebd., S. 119.

[80] Seiffge-Krenke, Inge/Skaletz, Christian: Längsschnittliche Zusamenhänge zwischen dem Stressbewältigungsverhalten von Eltern und ihren jugendlichen Kindern. In: Zeitschrift für Entwicklungspsychologie und Pädagogische Psychologie H. 3/41. Jg. (2009), S. 109-120, S. 110.

[81] Vgl. ebd.

3 Motivationsfaktoren

Obwohl bisher nur ein kleiner Anteil der Spieler tatsächlich Geld für die Free-to-Play-Spiele investiert, sind diese für den hohen Umsatz der Free-to-Play-Spiele verantwortlich und können als die tragenden Säulen dieses Finanzierungsmodells bezeichnet werden. In diesem Kapitel soll ergründet werden, welche Motivationsfaktoren die Kaufentscheidungen der Spieler beeinflussen können. Hierzu werden zunächst die Verkaufsmethoden der Hersteller in den Blick genommen, welche die Spieler zum Kauf motivieren. In dem nächsten Unterkapitel wird der Fokus auf die Möglichkeiten der Selbstpräsentation gelegt und in Bezug auf den möglichen Peer und Community Effekt in virtuellen Welten untersucht. Zuletzt soll das Flow-Prinzip und der magische Kreis vorgestellt werden, die als weitere Motivationsfaktoren die Kaufentscheidung begünstigen könnten.

3.1 Verkaufsstrategien

Einige Faktoren, welche die Spieler zum Kauf virtueller Items bewegen, hängen mit den Verkaufsstrategien der Free-to-Play-Hersteller eng zusammen. Die Hersteller stehen vor der Aufgabe die Mikrotransaktionssysteme für die Spieler so attraktiv wie möglich zu gestalten und hierfür zusätzliche Items, die ihr Interesse wecken können, zu entwickeln. „The idea is that, if a customer already enjoys the game enough, then there might be no reason for the customer to pay additional money for augmenting virtual goods."[82]

Dieses treibt die Hersteller dazu, bewusst Einschränkungen in das kostenlose Spiel einzuführen. So sind viele kostenlose Spiele nur mit Mikrotransaktionen vollständig spielbar. Da sich einige Free-to-Play-Spiele zusätzlich über den Werbezweig finanzieren, locken viele Hersteller mit der Option die Werbung mittels Mikrotransaktionen auszuschalten, um bessere Spielerfahrungen zu gewährleisten.[83] Darüber hinaus wird im Spiel häufig angeboten, die Wartezeiten (beispielsweise nach dem Charaktertod eines Spielers) zu überspringen, um direkt weiterspielen zu können.[84] Der Autor Hamari mutmaßt, dass hierbei der Spaß am

[82] Hamari, Juho: Why do people buy virtual goods? Attitude toward virtual good purchases versus game enjoyment. In: International Journal of Information Management 35. Jg. (2015), S. 299-308, S. 299.

[83] Vgl. Grünblatt: Wie Mikrotransaktionen den Gaming-Markt beleben, S. 29.

[84] Vgl. Barnes/Guo: Purchasing behaviour in virtual worlds, S. 3327.

Spiel soweit sinken solle, dass sich die Spieler gezwungen fühlen, sich für Mikrotransaktionskäufe zu entscheiden.[85] Dabei soll der Effekt umso stärker sein, je mehr Spielzeit ein Spieler schon in ein Spiel investiert hat, in denen virtuelle Items zum Verkauf angeboten werden.[86]

League of Legends nutzt beispielsweise ein Verkaufsmodell, welches sich *Hextech-Crafting* nennt und bei dem die Spieler mit der virtuellen Währung, der Riot-Points, verschlossene Kisten und Schlüssel kaufen können, um aus dieser ein zufälliges virtuelles Item zu ziehen. Je nach Zugwahrscheinlichkeit kann dieses Item auf dem freien Markt einen *höheren* Wert besitzen als der Schlüssel und die Kiste zusammen, somit besteht ein Gewinnanreiz für den Spieler.[87] Dieses Verfahren kann als virtuelles Korrelat des Geldspielautomaten gesehen werden, bei dem man kurzfristig betrachtet mit einem relativ geringen Einsatz spielen kann und bei dem es häufig Erfolgserlebnisse gibt.

Als weitere effiziente Verkaufsmethode dient die Bündelung von virtuellen Items. Hierzu werden die Items als Paket zum Verkauf zur Verfügung gestellt, wobei häufig und selten erworbene Items zusammen angeboten werden.[88] Nicht zuletzt werden Daten wie Warenkorbinformationen, Herkunft oder andere Informationen über die Spieler dazu genutzt, um „die Bedürfnisse des Spielers in einer Tiefe zu verstehen, die es erlaubt, hochrelevante, kundenspezifische Angebote zu generieren."[89]

3.2 Selbstverwirklichung, Peer- und Community-Effekt

Mäntymäkia und Salo erklären die Vorteile für die Entwicklungsphase der Jugendlichen bezüglich der Möglichkeiten zur Selbstverwirklichung in virtuellen Welten:

> "From a developmental perspective, anonymous but moderated virtual environments offer young people opportunities to explore different roles, experiment in diverse social settings, and build their own imaginary environment in a way that is not

---

[85] Vgl. Hamari: Why do people buy virtual goods?, S. 300.

[86] Vgl. ebd.

[87] Vgl. League of Legends: Hextech Crafting and Loot. http://na.leagueoflegends.com/en/site/2016-season-update/champion-mastery.html, abgerufen am 13.07.2016.

[88] Vgl. Oh, G./Ryu, T.: Game Design on Item-selling Based Payment Model in Korean Online Games. In: Proceedings of the DiGRA 2007 Conference (2007), S. 650-657, S. 655.

[89] Schwarz: Big Data im Marketing, S. 243.

> possible through, for example, Facebook, where people generally use their real name and identity."[90]

Die Selbstverständlichkeit mit der Mäntymäkia und Salo das Bedürfnis zur Selbstpräsentation beschreiben, kann anhand der Beschreibung des Begriffs *Person* von dem Soziologen Goffman erläutert werden: „[T]he word person in its first meaning, is a mask. It is rather a recognition of the fact that everyone is always and everywhere, more or less consciously, playing a role."[91] Er beschreibt die Selbstpräsentation damit, dass sie als Identifikation des Selbst und der anderen dient. Ebenso führt er an, dass das Bedürfnis, sich selbst zu präsentieren, die Menschen dazu motiviere, zu diesem Zweck Objekte einzusetzen.[92] Gilly und Schau erwähnen mögliche Hürden der Selbstpräsentation in der realen Welt, wenn sich die Menschen beispielsweise mit Markenartikeln hervorheben möchten: „[C]onsumers often run up against financial, space, or proximal limitations."[93] Auch in virtuellen Welten benutzen Spieler, wie bereits zuvor beschrieben, Objekte zur Selbstdarstellung in Form von virtuellen Items. Diese werden wie die Produkte auf dem realen Markt verschiedenen Preisklassen zugeteilt. Dadurch, dass die Hersteller Einfluss auf die Verfügbarkeit virtueller Items haben, können die Items einen Status verkörpern, der einem Markenprodukt der physischen Welt nahekommt.

Inwiefern das Bedürfnis sich in einer virtuellen Welt zu präsentieren zum Kauf motivieren kann, erklären Mäntymäkia und Salo wie folgt:

> "While creating and experiencing value from their virtual purchases by, for example, decorating their virtual rooms, dressing up their avatars, or trading possessions with others, users also create value for others by adding to the in-world social interaction and social setting." [94]

In einer Studie von Shelton, die anhand der virtuellen Welt des Onlinespiels *Second Life* das Kaufverhalten von Spielern untersucht hat wird ersichtlich, dass

---

90 Mäntymäkia, Matti/Salo, Jari: Why do teens spend real money in virtual worlds? A consumption values and developmental psychology perspective on virtual consumption. In: International Journal of Information Management 35. Jg. (2015), S. 124-134, S. 132.

91 Goffman, Erving: The presentation of self in everyday life. New York 1959, S. 19.

92 Vgl. ebd., S. 19f.

93 Gilly, Mary/Schau, Hope Jensen: We Are What We Post? Self-Presentation in Personal Web Space. In: Journal of Consumer Research 30. Jg. (2003), S. 385-404, S. 400.

94 Mäntymäkia/Salo: Why do teens spend real money in virtual Worlds?, S. 132.

Spieler, denen ihre Onlineidentität sehr wichtig ist, signifikant mehr gestalterisches Zubehör für ihre Charaktere kaufen würden als die Spieler, denen ihre Selbstpräsentation in Onlinewelten nicht so wichtig sei.[95] Die Erwartungshaltung, dass sich alle Onlinespieler mit den virtuellen Items ausstatten, kann als gruppendynamischer Effekt innerhalb von Peergroups gewertet werden, welcher zudem die Hemmschwelle für Investitionen in Zeit und Geld senken kann.[96] Kim und Kankanhalli untersuchten in ihrer Studie die Spieler der Onlinewelten von *Habbo* und *Cyworld* und stellten fest, dass die Käufer von dekorativen Items überwiegend Frauen seien, da sie sich mehr um ihr virtuelles Auftreten sorgen, als Männer: „That is, women have stronger intentions to purchase digital items than men."[97] Außerdem merken sie an, dass jüngere Spieler unter 20 Jahren mehr Wert auf ihre Selbstdarstellung in Onlinewelten legen und zu In-Game-Käufen neigen als die Spieler über 25 Jahre. Die Absicht der Spieler sei es, mit denen von sich erzeugten Bildern in der virtuellen Welt, ähnliche Spieler mit gleichartigen Interessen zu finden.[98]

Ein weiterer Faktor, der vor allem bei jungen Spielern und Frauen eine Rolle für die Kaufentscheidung spielt, ist der schon zuvor erwähnte Einfluss der Peergroups. Im Gegensatz zur realen Welt (in der Schule oder einem Verein), treffen Kinder und Jugendliche in einem Onlinespiel auf Spieler des unterschiedlichsten Alters. Trotzdem kann anhand der ermittelten Studienergebnisse von Hor-Meyll, Leal und Paula Pessôa, bezüglich virtueller Freundschaften, von Peergroups gesprochen werden:

> "Even though the participants might not be demographically similar, they feel similar to each other as peers in the purchasing situation; therefore they hope that the information will reflect the true product performance, which makes it more relevant than if it had come from someone with less or no experience."[99]

---

95 Vgl. Shelton, Ashleigh K.: Defining the lines between virtual and real world purchases: Second Life sells, but who's buying? In: Computers in Human Behavior 26. Jg. (2010), S. 1223-1227, S. 1225.

96 Vgl. Chung/Park: Mediating roles of self-presentation desire in online game community commitment and trust behavior of Massive Multiplayer Online Role-Playing Games, S. 2372.

97 Kim, Chan, Kankanhalli: What Motivates People to Purchase Digital Items on Virtual Community Websites?, S. 1240.

98 Vgl. ebd., S. 1241.

99 Hor-Meyll, Luis Fernando/Leal, Gabriela Pasinato Alves/Paula Pessôa, Luís Alexandre Grubits: Influence of virtual communities in purchasing decisions. The participants' perspective. In: Journal of Business Research H. 5/67. Jg. (2014), S. 882-890, S. 884.

Darüber hinaus gab ein Großteil der Befragten in ihrer Studie an, dass die Freundschaften die Entscheidungsfindung bei Kaufprozessen positiv beeinflussen würden.[100] Inwiefern die Entscheidung für den Kauf dissozial oder prosozial für die Entwicklung ausfällt, hängt dabei vom individuellen Umfeld ab. Dadurch, dass erfahrene Spieler den Unterschied zwischen teuren und wertlosen Accounts anhand von Charakteren und virtuellen Objekten erkennen können, kann der Anreiz entstehen, diesen erfahrenen Spielern positiv mit erkauften virtuellen Items aufzufallen, um Freundschaften zu knüpfen.[101] Konträr hierzu spielt die Konkurrenzsituation zwischen den Spielern eine entscheidende Rolle für den Kauf funktioneller Items. Sobald ein Spieler mit erkauften Items auffällt, da er besser ist als ein Spieler, der keine erkauften Items besitzt, kann ein Gefühl der Benachteiligung entstehen und aus dieser Situation heraus eine Kaufentscheidung erfolgen.[102]

Kaufentscheidungen können durch sogenannte virtuelle Communities weiter begünstigt werden. Virtuelle Communities bezeichnen ganz allgemein über das Internet zugängliche Spielergemeinschaften, bei denen im besten Fall eine starke Verbundenheit gegenüber den Mitgliedern vorherrscht.[103] In einer Studie von Chou und Sawang über den Einfluss von virtuellen Communities stellten die Autoren fest, dass die Nutzung von virtuellen Communities zum Informationsaustausch einen positiven Effekt auf das Kaufverhalten und emotionale Wohlbefinden der Spieler habe.[104] Dagegen ermittelten Barnes und Guo in ihrer Studie zum Kaufverhalten in virtuellen Welten, dass der soziale Einfluss keine tragende Rolle bei der Kaufentscheidung spielt und relativieren somit das Ergebnis von Chou und Sawang. Der soziale Einfluss sei nur dann wichtig, wenn ein Spieler virtuelle Gegenstände aus dem Grund heraus erwirbt, um Strafen zu entgehen oder Beloh-

---

[100] Vgl. ebd.

[101] Vgl. Mäntymäkia/Salo: Why do teens spend real money in virtual worlds? S. 132.

[102] Vgl. Evers, Ellen R. K./van de Ven, N./Weeda, Dorus: The Hidden Cost of Microtransactions: Buying In-Game Advantages in Online Games Decreases a Player's Status. In: International Journal of Internet Science H. 1/10. Jg. (2015), S. 20-36, S. 21.

[103] Vgl. Arnab, Sylvester et. al.: E-commerce transactions in a virtual environment. Virtual transactions. In: Electron Commer Res H. 3/12. Jg. (2012), S. 379-407, S. 387.

[104] Vgl. Chou, Cindy Yunhsin/Sawang, Sukanlaya: Virtual community, purchasing behaviour, and emotional well-being. In: Australasian Marketing Journal H. 3/23. Jg. (2015), S. 207-217, S. 212ff.

nungen zu erhalten. Dessen ungeachtet verlaufe der Kauf virtueller Items jedoch überwiegend ungezwungen.[105]

Bei den Free-to-Play-Spielern soll der Zusammenhalt der virtuellen Communities ohnehin nicht so groß sein wie bei Pay-to-Play-Spielern, da die Teilnahme an der virtuellen Community eher an die eines Konsumenten erinnere.[106] In den *traditionellen* MMOGs sollen die Spieler beispielsweise noch untereinander ihren Ärger über eine unfaire Spielweise anderer Spieler bekundet haben, wohingegen in den kostenlosen Spielen viele Teilnehmer denken würden, dass sie wegen der freien Nutzbarkeit des Spiels kein Recht zum Protestieren hätten und dadurch verstärkt die Rolle des Konsumenten einnähmen."The idea of ‚take it or leave it' is gaining strength under the influences of free market logic or player-to-consumer identity transfer."[107] So konnte bei *League of Legends* ein geringerer Teamzusammenhalt als bei dem kostenpflichtigen Spiel *World of Warcraft* ermittelt werden.[108] Dieses wird damit unterstützt, dass die Spiele bei LoL nur von kurzer Dauer sind und die Teams zufällig generiert werden.[109]

3.3 Das Flow-Prinzip und der magische Kreis

Damit ein Spieler in ein kostenloses Spiel Geld und Zeit investiert, muss eine Bindung zwischen Spieler und Spielangebot bestehen. Das in den 1970ern von dem Psychologen Csíkszentmihályi entwickelte Flow-Prinzip wurde vordergründig für Sport und Spiel Aktivitäten entwickelt. Häufig wird die sogenannte Flow-Erfahrung als ein Motivationsfaktor für Onlinespiele bezeichnet. Csíkszentmihályi behauptet, dass es eine Umgebung gibt, in der man relativ leicht den „Flow" erfahren und in den Lebensstil integrieren kann. Er definiert Flow weiter als:"[A] unified flowing from one moment to the next, in which we feel in control of our actions, and in which there is little distinction between self and environment; between stimulus and response; or between past, present, and future."[110]

---

[105] Vgl. Barnes/Guo: Purchase behavior in virtual worlds, S. 310.

[106] Vgl. Lin/Sun: Cash Trade Within the Magic Circle, S. 342.

[107] Ebd.

[108] Vgl. Gui, Xinning/Kou, Yubo: Playing with Strangers: Understanding Temporary Teams in League of Legends. Chi-Play '14 (2014), S. 161-169, S. 167.

[109] Vgl. ebd.

[110] Csíkszentmihályi, Mihaly: Play and intrinsic rewards. In: Journal of Humanistic H. 3/15. Jg. (1975), S. 41-63, S. 43.

Nach dieser Definition kann jede Aktivität, die ein hohes Maß an Konzentration fordert und den Menschen dadurch von der realen Umgebung distanziert, mit dem Flow-Prinzip in Verbindung gebracht werden. Der Flow-Moment könne allerdings durch Reize von *draußen* gestört werden, sodass dadurch das Bewusstsein der realen Welt wieder in den Vordergrund trete.[111] Kurz zusammengefasst bedeutet der Flow-Moment für den Menschen bei hoher Konzentration während einer Aktivität, den vorübergehenden Wahrnehmungsverlust von Raum und Zeit.

> „Perhaps the clearest sign of flow is the experience of merging action and awareness."[112]

In einer Studie zu den Einflussfaktoren, die dazu führen, dass Spieler sich über einen längeren Zeitraum mit einem einzigen Onlinespiel beschäftigen, stellen die Forscher Hsu und Lu fest, dass die Flow-Erfahrung für die Spielintention eine signifikante Rolle spielt.[113] Hsu und Lu heben zudem die einfache Bedienbarkeit der Benutzeroberfläche von Onlinespielen hervor, die eine Flow-Erfahrung begünstigen würde.[114] Probleme mit der Bedienbarkeit können auf der anderen Seite die Flow-Erfahrung beeinträchtigen: "If difficulties of use cannot be overcome, then the user may not perceive the usefulness of the game and may not enjoy the flow experience; he or she may then abandon the online game."[115] Csíkszentmihályi weist darauf hin, dass Flow „auch seine gefährlichen Seiten"[116] haben kann, wenn ein Spieler beispielsweise exzessiv in sein Computerspiel vertieft ist und sich um nichts anderes mehr sorgt.

Das Konstrukt des magischen Kreises, welches ähnliche Ansätze wie das Flow-Prinzip liefert, wurde von Huizinga definiert. Innerhalb einer Spielumgebung erschafft der magische Kreis eine unabhängige irreale Spielwelt in Abgrenzung zur alltäglichen realen Welt, in der die Spieler die Möglichkeit haben, sich frei zu ent-

---

[111] Vgl. ebd., S. 45.

[112] Ebd., S. 44.

[113] Vgl. Hsu, Chin-Lung/Lu, Hsi-Peng: Why do people play on-line games? An extended TAM with social influences and flow experience. In: Information & Management 41. Jg. (2004), S. 853-868, S. 862.

[114] Vgl. ebd.

[115] Ebd.

[116] Csíkszentmihályi, Mihaly: Flow – der Weg zum Glück. Der Entdecker des Flow-Prinzips erklärt seine Lebensphilosophie. Freiburg im Breisgau 2010, S. 92.

falten.[117] Hierbei sind Ordnung und Regeln in den Spielwelten entscheidend, denn das Spielerlebnis wirkt wie Magie auf den Spieler, dessen Ästhetik durch regelwidrige Ereignisse gebrochen werden kann.[118]

Lin nennt vier weitere wichtige Komponenten des magischen Kreises: "Game insulation from the outside world, game fairness as supported by rules, and individual and collective senses of immersion and fun among players."[119] Bei dem Spiel *League of Legends* werden Regeln und somit die Aspekte für die Fairness im Spiel in Form von Einführungsspielen übermittelt, weitere Ratschläge erhält man von der Spielcommunity. Die Spielregelverletzung innerhalb der Teams (wie der Kooperation mit dem gegnerischen Team), kann beispielsweise zum Bruch des magischen Kreises führen. Häufig werden allerdings die realweltlichen Bezahlmethoden wie Mikrotransaktionen in einigen Onlinespielen als wichtigster Faktor für die Gefährdung der Fairness im Spiel angesehen. Die Bezahlmöglichkeit in Spielen soll den zahlenden Spieler in vielen Spielen einen Vorteil gegenüber den erfahrenen nichtzahlenden Spielern erschaffen: "In free games, success in killing monsters does not provide access to the best equipment; because those tools must be purchased with real money, poor players will always be at a disadvantage."[120]

Die Bindung an das Spiel wird durch den Flow-Effekt oder den magischen Kreis verstärkt, sodass der Spieler eine lange Zeit in das Spiel investiert. Hamari erklärt den Effekt auf die Spieler in Bezug auf das Free-to-Play-Konzept: "the greater the amount of time customers spend in an environment where related products are being sold, the more likely they become to purchase those products."[121] Die Unverbindlichkeit des Spielerlebnisses gerät damit in Gefahr. Weitere Risiken, die mit der Implementierung von Mikrotransaktionen einhergehen können, werden im nächsten Kapitel diskutiert.

---

[117] Vgl. Huizinga: Homo ludens, S. 77.

[118] Vgl. Lin/Sun: Cash Trade in Free-to-Play Online Games, S. 272.

[119] Ebd., S. 274.

[120] Dies.: Cash Trade Within the Magic Circle, S. 339.

[121] Hamari: Why do people buy virtual goods?, S. 300.

4 Risiken

Mit der Einführung von kostenpflichtigen Inhalten im Spiel, entstehen einige Veränderungen für das Spielerlebnis, den Spieler selbst und der Begriffsbestimmung des Spiels. Für die Beantwortung der Leitfrage werden die drei genannten Kriterien einzeln untersucht. Inwiefern das Spielerlebnis eingeschränkt wird, soll im ersten Unterkapitel *Spielerlebnis* behandelt werden. In-Game Käufe stehen in der Kritik, da sie vor allem für junge Spieler neben den Möglichkeiten der Individualisierung oder Selbstpräsentation auch einige Risiken bergen, welche im Abschnitt der *Glücksspiele* weiter betrachtet werden sollen. Die Verbindung zwischen kostenlosem virtuellen Spiel und der physischen ökonomischen Welt stellt nach Lin und Sun die zentrale Bedrohung für die eigentliche Bedeutung der Onlinespiele dar.[122] Im Hinblick darauf sollen die Grenzen des Spielbegriffs im Unterkapitel *Spiel und Arbeit* genauer untersucht werden.

4.1 Risiken für das Spielerlebnis

Es gibt verschiedene Gründe, die das Spielerlebnis beeinträchtigen können und vor allem in Bezug auf das Free-to-Play-Modell diskutiert werden. Realitätsflucht oder Internetsucht sind zwei von einigen negativ konnotierten Begriffen, welche häufig mit der Definition und den Folgen von kostenlosen Spielen in Verbindung gebracht werden. Das Spielen in Onlinewelten wird in vielen Studien als der wesentliche Grund für Internetsucht angesehen, da viele Spieler den sozialen Rückhalt in Onlinespielen suchen, wenn dieser im realen Leben nicht vorhanden sei.[123] Zudem würde das kostenlose Konzept der Onlinespiele zur Realitätsflucht in die Fantasiewelten verführen.[124] Auf der anderen Seite argumentieren Lin und Sun damit, dass kostenlose Onlinespiele viel mehr die Realitätsflüchtigkeit durch die Einführung eines aktiven Handels, welcher gleich der physischen Welt funktioniert, unterbinden würden. Dadurch kann allerdings auch die positive Ablenkung vom Alltag kaum erfolgen.[125]

---

[122] Vgl. Dies.: Cash Trade in Free-to-Play Online Games, S. 271.

[123] Vgl. Tone, Hui-Jie/Yan, Wan-Seng/Zhao, Hao-Rui: The attraction of online games: An important factor for Internet Addiction. In: Computers in Human Behavior 30. Jg. (2014), S. 321-327, S. 321ff.

[124] Vgl. Lin/Sun: Cash Trade in Free-to-Play Online Games, S. 271.

[125] Vgl. ebd.

Der Geldeinsatz und Handel in kostenlosen Spielen stellt einen Risikofaktor für das Spielerlebnis der unerfahrenen Spieler dar. Diese können im Spiel Entscheidungen treffen, die von Unsicherheit, Unwohlsein oder Besorgnis geprägt sein können.[126] Die Faktoren für unsichere Entscheidungen bei geringer Spielnutzung teilt Chen in sechs Risikogebiete ein:

> "other individuals' possible bad feedback (social risk), time wastage (time risk), high fees (financial risk), harmfulness (physical risk), slow connection and operation (performance risk), and bruise of the self-image or self-concept (psychological risk)."[127]

Da die Zahlbereitschaft der Spieler in Free-to-Play-Spielen zudem sehr verschieden ist, können Unstimmigkeiten und Probleme zwischen den zahlenden und nichtzahlenden Spielern entstehen., Bourlakis, Li und Papagiannidis sehen das Problem vor allem für das Spielerlebnis der nichtzahlenden Spieler in Free-to-Play-Spielen:

> "The potential problem is that allowing a user to progress through the game by buying new skills, weapons and resources using real money can alienate other users, who feel this is a form of cheating and that it breaks the sense of achievement for those who progress without buying their progress."[128]

Die Autoren Oh und Ryu weisen ebenfalls darauf hin, dass der Verkauf von virtuellen Items die Motivation der Spielergruppe senken würde, denen es um die Spielerfahrung geht.[129]

Der Geldeinsatz im Spiel soll einen nachteiligen Effekt auf die Einstellung zum Spiel haben. So bestehe die Gefahr, dass die Wahrnehmung eines Ungleichgewichts zwischen den Spielern dazu führe, den magischen Kreis um einen Spieler zu stören:

---

[126] Vgl. Chen, Lily Shui-Lien: The impact of perceived risk, intangibility and consumer characteristics on online game playing. In: Computers in Human Behavior 26. Jg. (2010), S. 1607-1613, S. 1608.

[127] Ebd.

[128] Bourlakis, Michael/Li, Feng/Papagiannidis, Savvas: Making real money in virtual worlds. MMORPGs and emerging business opportunities, challenges and ethical implications in metaverses. In: Technological Forecasting and Social Change H. 5/75. Jg. (2008), S. 610-622, S. 612.

[129] Vgl. Oh/Ryu: Game Design on Item-selling Based Payment Model in Korean Online Games, S. 655.

> "Once a player feels a lack of fairness, the promised aesthetics disappear and the magic circle breaks down. The ideas of 'independent worlds' and 'fair rules' come under attack when players are able to buy virtual treasures and capabilities—and therefore status—with real money."[130]

Die Kritiken beziehen sich häufig auf Mikrotransaktionen mit funktionellen Items, welche beispielsweise zur Verbesserung der Fähigkeiten eines Charakters benutzt werden können und dadurch den magischen Kreis stören sollen. Dekorative Items dagegen werden als ornamentale Verschönerungen angesehen, welche das Spielerlebnis nicht negativ beeinflusse. Dabei könnten sie nach der Definition vom magischen Kreis ebenso eine Bedrohung darstellen, da sie wie die funktionellen Items Einflüsse von außerhalb repräsentieren.[131]

Zudem gibt es Spieler, die damit argumentieren, dass das Prinzip der Fairness im magischen Kreis und so auch im Spiel eine Illusion sei und weisen darauf hin, dass Free-to-Play-Spiele den Spielern, die sich keine monatliche Gebühr leisten können, einen Zugang gewährleisten.[132] Außerdem biete dieses Modell für Spieler, welche aufgrund von Arbeit oder anderen Verpflichtungen wenig Zeit hätten, die Möglichkeit, Geld in Erfahrung zu investieren, um damit ebenfalls den Spaß am Spiel zu erfahren und keine zusätzliche Zeit zu verlieren.[133] In der Studie von Lin und Sun äußerten zwar einige nichtzahlende Spieler ihren Unmut und ihre Enttäuschung über die zahlenden Spieler, da sie ihnen gegenüber unfaire Vorteile hätten, gleichzeitig gab es Spielermeinungen, die das Modell unterstützen, da die Spielindustrie sich auf irgendeine Weise finanzieren müsse: „The fact that some players pay so that others can play for free weakens their appeal for fairness."[134] Die eigentliche Bedrohung sehen die Autoren Salen und Zimmermann allerdings nicht in den monetären Prozessen im Spiel, sondern im Spielregelbrechen, welches den Spielfluss der anderen Spieler negativ beeinflusse.[135] Die Spieler haben selbst einen Einfluss darauf, inwiefern sie den Geldeinsatz in einem kostenlosen Spiel als störend empfinden. Pauschal kann nicht damit argumentiert werden,

---

[130] Lin/Sun: Cash Trade Within the Magic Circle, S. 336.

[131] Vgl. Evers/van de Ven/Weeda: The Hidden Cost of Microtransactions, S. 21.

[132] Vgl. Lin/Sun: Cash Trade Within the Magic Circle, S. 339.

[133] Vgl. ebd.

[134] Lin/Sun: Cash Trade in Free-to-Play Online Games, S. 278.

[135] Vgl. Castranova, Edward: The Right to Play. In: New York Law School Law Review H. 1/49. Jg. (2004), S. 185-210, S. 15.

dass die kostenpflichtigen Zusatzleistungen das Spielerlebnis eines jeden Nutzers negativ beeinflussen würden. Daraus kann geschlossen werden, dass das Spielerlebnis und damit das Risiko der Beeinträchtigung durch Mikrotransaktionen je nach Einstellung der Spieler verschieden beurteilt wird.

4.2 Risiken für den Spielbegriff

> „[K]eeping the lines clear requires quite a bit of mental discipline, especially when the synthetic society seems to act, breathe, and feel just like the outside world."[136]

Die einstmaligen Grenzen zwischen Spiel und Arbeit scheinen mit der Einführung der Mikrotransaktionen in Onlinespielen immer mehr zu zerfließen. Der deutsche Philosoph Karl Marx formuliert Arbeit als „Verausgabung menschlicher Arbeitskraft in besondrer zweckbestimmter Form."[137] Eine Tätigkeit verbunden mit einer Absicht, einem Zweck wird demzufolge als Arbeit bezeichnet. Wie oben bereits erwähnt, beschreibt Aufenanger das Spiel als eine zwecklose Tätigkeit, weshalb beide Begriffe klar voneinander zu differenzieren seien.

Im digitalen Zeitalter erfährt das Spiel eine Definitionsproblematik bei der Abgrenzung zur Arbeit. Castranova erklärt in seinem Buch *The Right to Play* die politischen und ökonomischen Bedrohungen, die das Onlinespiel betreffen. Er geht hierzu auf die immer durchsichtiger werdenden Grenzen des Spiels und Nicht-Spiels ein, die allerdings auch vom Spieler selbst abhängig seien. Eine klare Trennung zwischen Spiel und Arbeit könne vor allem in MMORPGs kaum erfolgen, welche das doppelte Währungsmodell unterstützen und den Tausch und Handel virtueller Items fördern.[138] Die erspielbare Währung unterstützt hierbei den Spielmoment, indem die Spieler mit geringem zeitlichen Aufwand schnell Fähigkeiten erlernen und damit die virtuelle Währung erlangen können als in der echten Welt. Die Premiumwährung kommt derweil der realen Währung nahe, indem die Intention zum Handeln virtueller Items außerhalb des Spiels als spielgefährdend bewertet, da dieses mehr einer Arbeit nahekomme als einer reinen Spielaktion. Hier wird schon ein Widerspruch, der das Spielgeschehen beschreibt, deut-

---

[136] Castranova: The Right to Play, S. 195.

[137] Marx, Karl: Das Kapital. Berlin 1972, Bd. 1, S. 61.

[138] Vgl. Graham, Kerrie Lewis: Virtual Playgrounds? Assessing the Playfulness of Massively Multiplayer Online Role-Playing Games. In: American Journal of Play H. 1/3. Jg. (2010), S. 106-125, S. 114.

lich: „the gamer plays and the avatar works."[139] Der Handel unter den Spielern wird zudem kritisch bewertet: „It creates opportunities for business, which entrepreneurial individuals are quick to exploit."[140]

Es existiert beispielsweise bereits eine Berufsgruppe, die sich RMT(real money trade)-Arbeiter nennt und sich darauf konzentriert, erspielte Items zu verkaufen und damit Geld zu verdienen. Ein RMT-Arbeiter beschreibt seine Tätigkeit in einem Interview: "We do not compete for the best items or prestige, we look for items that are most profitable on a timely basis. We're playing according to mathematical formulas."[141] Die Verbindung zwischen Spiel und Arbeit fordert eine beizubehaltende Achtsamkeit der RMT-Arbeiter. Obwohl diese Art der Arbeit Assoziationen wie Spaß und Erholung erwecken, verlange sie viel mehr eine andere Einstellung zum Spiel und einen zwangsläufigen Verzicht auf die Spaßfaktoren im Spiel:

> "By applying strategies for purposefully separating leisure gaming from work gaming, RMT workers can gain a sense of ownership over their time, spaces and gaming activities, thus preserving or reclaiming some of the fun element that originally led them to turn their hobby into work."[142]

Allerdings wird diese Art der Arbeit bisher noch nicht als tatsächliche Arbeit gewürdigt. Das rührt daher, dass die Arbeiter keinen festen Arbeitsplatz oder erkennbare Firmennamen besitzen: „The lack of these factors leads to an ambiguous status that is often treated as inferior and stigmatized."[143]

Doch gerade der aktive Handel in vielen Onlinewelten und die teilweise professionelle Herangehensweise der RMT-Arbeiter am virtuellen Onlinespielmarkt erschweren es, die virtuelle Welt von der Ökonomie der physischen Welt zu differenzieren. Zusätzlich wird die Kontroverse durch den Geldeinsatz in den virtuellen Währungen angespornt, welcher eine Verbindung zwischen virtueller und realer Ökonomie schafft, ohne dabei einer geldpolitischen Kontrolle unterworfen

---

139 Ebd.

140 Lehdonvirta, Vili (2008): Real-Money Trade of Virtual Assets: New Strategies for Virtual World Operators. In: Conference on Future Play (2005), S. 1-10, S. 2.

141 Lee, Yu-Hao/Lin, Holin: 'Gaming is my work': identity work in internet-hobbyist game workers. In: Work, Employment and Society H. 3/25. Jg. (2011), S. 451–467, S. 462.

142 Ebd.

143 Ebd.

zu sein.[144] Dabei werde der Wechselkurs zwischen virtuellen Items und Geld von dem Verbrauch und Einsparungen der Spieler bestimmt.[145]

Castranova betont, dass die virtuelle Welt vom eigentlichen Spiel gelöst sei. Deshalb könne die virtuelle Welt mit Steuern besehen werden, da sie als territoriale Erweiterung der physischen Welt angesehen werden könne und unter dem Gesetz als solche behandelt werden müsste.[146] Er beschreibt ein Modell, welches als Lösung des bisherigen Definitionsdilemmas von Onlinespielen dienen soll, als *offene Welten*, die mit der physischen verknüpft seien und in denen vor allem die Selbstdarstellung und die Kommunikation in den Vordergrund gestellt werden könnten: „By definition, these will be places that are *not* play."[147] Dieses theoretische Modell kann als Lösungsansatz für die gesetzlich noch relativ uneingeschränkte Onlinespielwelt betrachtet werden, um Spiel und Arbeit wieder klarer voneinander differenzieren zu können und daher auch altersgerechte Bedingungen für die verschiedenen Spielergruppen zu schaffen.

4.3 Risiken für die Spieler - Glücksspielinhalte in Onlinespielen

Die Hersteller der modernen Free-to-Play-Onlinespiele wenden Methoden des konventionellen Glückspiels an. Schließlich gibt es auch Online-Pokerspiele, welche kostenlos zugänglich sind und das Klientel der Casino-Besuchern ansprechen. Bei vielen MMOGs, die ebenfalls Glücksspielinhalte anbieten, ist dieses jedoch nicht gleich voraussehbar, weshalb sie häufig nicht den Regulierungen des Glücksspiels unterliegen. In diesem Kapitel soll der Frage nachgegangen werden, inwiefern die Glücksspielaspekte in MMOGs die Spieler, vor allem im Hinblick auf die Jugendschutzmaßnahmen, nachhaltig negativ beeinflussen können?

Die Parallelen zu dem herkömmlichen Glücksspiel, wie dem Poker, sind mit den Verkaufsstrategien in Free-to-Play-Modellen immer deutlicher zu erkennen. Beispielsweise werbe die Poker-Industrie damit, „dass Poker kein Glücks- sondern ein Strategiespiel ist"[148], weshalb einige Spieler versuchten, mit mathematischen

---

[144] Yamaguchi, Hiroshi: An Analysis of Virtual Currencies in Online Games. https://www.researchgate.net/publication/
228319455_An_Analysis_of_Virtual_Currencies_in_Online_Games, S. 5. abgefragt am: 13.07.2016.

[145] Ebd.

[146] Castranova: The Right to Play, S. 205.

[147] Ebd.

[148] Wiemken, Jens: Kostenlose Online-Spiele. http://www.verbraucherbildung.de/downloads/

Programmen Chancen zu analysieren, um zu gewinnen.[149] Dieses lässt an die RMT-Arbeiter denken, welche ebenfalls mit Algorithmen und Strategien an den spielerischen Erwerb von virtuellen Items herangehen.

Für Spielhallen bestehen bisher einige Gesetzesvorschriften, die auf den Jugendschutz ausgerichtet sind. So heißt es beispielsweise in der sechsten Verordnung zur Änderung der Spielverordnung des Bundesministeriums für Wirtschaft und Technologie von 2013:

> „Der Hersteller hat sicherzustellen, dass an Geldspielgeräten in der Nähe des Münzeinwurfs deutlich sichtbare, sich auf das übermäßige Spielen und auf den Jugendschutz beziehende Warnhinweise so wie Hinweise auf Beratungsmöglichkeiten bei Pathologischem Spielverhalten angebracht sind. Der Aufsteller hat sicherzustellen, dass in einer Spielhalle Informationsmaterial über Risiken des übermäßigen Spielens sichtbar ausliegt."[150]

In Nordrhein-Westfalen gibt es zudem Sperrzeitenregelungen von ein bis sechs Uhr, in denen die Casinos zum Schutz der Jugendlichen schließen müssen.[151] Die Vorschriften für jugendliche Spieler existieren, da sie als Risikogruppe für Suchterkrankungen eingestuft werden. Dagegen seien in MMOGs bisher keine Vorschriften eingeleitet worden, welche die Spieler auf ein mögliches Suchtrisiko aufmerksam machen und es gäbe keine soziale Kontrolle, wie eine effektive Altersabfrage, die Jugendliche beispielsweise vor gewaltvollen oder sexuellen Inhalten schützt, da die Spieler momentan absolut anonym am Spiel teilnehmen können.[152] Außerdem sind die Hersteller von Onlinespielen in Deutschland nicht ver-

200808_Kostenlose_Online_Spiele_FB_Wiemken.pdf, S. 8. abgefragt am: 13.07.2016.

[149] Vgl. ebd.

[150] Bundesrat: Verordnung des Bundesministeriums für Wirtschaft und Technologie. Sechste Verordnung zur Änderung der Spielverordnung. http://www.bmwi.de/DE/Themen/Mittelstand/Mittelstandspolitik/gewerberecht,did=374796.html, abgefragt am 13.07.2016.

[151] Vgl. Ministerium für Inneres und Kommunales: Vollzug des Glücksspielstaatsvertrages (GlüStV) vom 15.12.2011 und des Gesetzes zur Ausführung des Glückspielstaatsvertrages vom 13.11.2012 (AG GlüStV NRW). http://www.bundespruefstelle.de/bpjm/Jugendmedienschutz/Games/ onlinespiele.html, S. 2. abgefragt am 13.07.2016.

[152] Vgl. Wiemken: Kostenlose Online-Spiele, S. 11.

pflichtet, eine Altersbeschränkung für ihr Spiel anzugeben, welche für die Nutzer einen ersten Schutz bieten könnten.[153]

Die Problematik des Glücksspiels besteht darin, dass sich vor allem jugendliche Spieler für Suchterkrankungen als anfällig erweisen. Das in Glücksspielen wie Poker, aber auch in einigen MMOGs, vorherrschende Belohnungssystem kann Tendenzen des pathologischen Glücksspiels hervorrufen. Das pathologische Glücksspiel ist „durch ein häufiges und wiederholtes episodenhaftes Glücksspiel gekennzeichnet, dass die Lebensführung des Betroffenen beherrscht."[154] Darüber hinaus wird pathologisches Glücksspiel angesichts seines Erscheinungsbildes und Verlaufes als eine Form der Verhaltenssucht angesehen.[155]

Die Reizverstärkung eines Belohnungssystems soll anhand des Phänomens des operanten Konditionierens aus der Psychologie und Pädagogik genauer erklärt werden. Hierbei sollen Menschen eine bestimmte Verhaltensweise häufiger aufweisen, wenn diese zu angenehmen Konsequenzen führe und diejenigen meiden, die zu unangenehmen Konsequenzen führen würden.[156] „Im Rahmen des Konzepts des operanten Konditionierens spricht man davon, dass die Auftretenswahrscheinlichkeit eines zunächst einmal zufällig auftretenden Verhaltens durch die Konsequenzen bestimmt wird, die auf das Verhalten folgen."[157] Eine von vier Verhaltenskonsequenzen (positiv, negativ, Bestrafung durch aversive Reize, Bestrafung durch Verstärkerentzug), die das operante Konditionieren beschreibt, stellt die intermittierende Verstärkung dar, welche sowohl bei angenehmen sowie unangenehmen Konsequenzen oder deren Ausbleiben auftreten könne. Für die intermittierende Verstärkung sei es wichtig, dass es erst Situationen gäbe, in denen der Spieler eine Belohnung erhält und Situationen, in welchen er nichts für seinen Spielaufwand bekommt.[158] Hierbei sei der Unterschied zum Belohnungs-

---

[153] Vgl. Ministerium für Inneres und Kommunales: Vollzug des Glücksspielstaatsvertrages (GlüStV) vom 15.12.2011 und des Gesetzes zur Ausführung des Glückspielstaatsvertrages vom 13.11.2012 (AG GlüStV NRW), S. 2.

[154] Bühler, Mira et. al.: Glücksspiel im Gehirn: Neurobiologische Grundlagen pathologischen Glücksspielens. In: SUCHT H. 4/57. Jg. (2011), S. 259-273, S. 259.

[155] Vgl. Ebd.

[156] Vgl. Rothgang, Georg-Wilhelm: Entwicklungspsychologie (Psychologie in der Sozialen Arbeit). Stuttgart 2015, S. 132.

[157] Ebd.

[158] Vgl. Bodendorf, Frank: Mit Egozentrik zum Erfolg: Grundlagen und Anwendungen von Ziel-Mittel-Weg-Analysen. Renningen 2004, S. 12.

empfinden bei regelmäßigen Belohnungen wichtig. Bei intermittierender Verstärkung sei der Belohnungseffekt bei einem positiven Ereignis, abhängig von dessen Wert (z.B. Geldwert), größer und gleichzeitig löschungsresistenter im Vergleich zu einer kontinuierlichen Belohnung.[159] Wenn bei einem Pokerspiel beispielsweise ein Spieler die ersten Runden gewinnt und eine Belohnung erhält, wird er, auch wenn er mehrere Runden danach verlieren sollte, weiter spielen, da die negativen Erlebnisse von den ersten positiven Erlebnissen überschattet werden.

Gerade auf Glücksspielseiten wird mit der Unverbindlichkeit und Geschenken zum Einstieg gelockt, welche dann zu einem Austausch von virtuellem und realem Geld führe.[160] Mit Einstiegsgeschenken werben auch einige MMOGs, wie auch die schon beschriebene Methode des *Hextech-Crafting* bei *League of Legends*, in welcher die Spieler Kisten und Schlüssel erwerben können, um mit diesen ein teureres, zufällig generiertes Item freizuschalten. Dieses kann auch mit dem System der intermittierenden Verstärkung in Verbindung gesetzt werden. Um den Spieler zum Kauf zu bewegen, stehen ihm die erste Kiste und der Schlüssel ohne Geldeinsatz zu Verfügung, sodass er das erste virtuelle Item kostenlos als Geschenk erhalten kann. Dieses Glückserlebnis, ein virtuelles Item zusätzlich zu dem Spiel zu besitzen, kann dann zu einer Kaufentscheidung führen. Da das Item zufällig generiert wird, kann es vorkommen, dass der Spieler in einem Item keinen persönlichen Mehrwert sieht, selbst wenn er es günstiger erstehen könnte, als es sonst im Onlinemarkt möglich ist und es in diesem Sinn keinen Verlierermoment gibt. Für den Spieler hat das virtuelle Item dann einen persönlichen Mehrwert, wenn der Spieler daran Gefallen finden kann. So kann auch hier, sobald der Spieler sich auf den Kauf einlässt, eine intermittierende Verstärkung mit positiven und negativen Gewinnen erfolgen.[161]

In einem universitären Experiment zur Herzfrequenz in Video Lotterie Spielen im Jahr 2003 konnten die Teilnehmer bei einem Video Lotterie Spiel echtes Geld oder Punkte gewinnen. Ladouceur et. al. stellen fest, dass die Teilnehmer, die damit gerechnet haben, echtes Geld zu gewinnen, eine höhere Herzfrequenz aufwiesen, als die Teilnehmer, die für Punkte spielten, da die Aussicht auf einen Geldgewinn

---

[159] Vgl. ebd.

[160] Vgl. Wiemken: Konstenlose Online-Spiele, S. 11.

[161] Eigene Recherche im Zeitraum von: 15.05.-15.07.2016

bei dem Spieler Aufregung erweckt.[162] Dieses erhöhe die Suchtgefahr für die Spieler auch in Bezug auf die Ausblendung von langfristigen negativen Konsequenzen in Situationen von unmittelbarer Belohnung.[163] Hamari ermittelt in seiner Studie zu den Kaufgründen in Onlinespielen, dass positive Faktoren wie Spielspaß auf die Spieler einen größeren Effekt haben als negative Faktoren wie zum Beispiel die Vernachlässigung der Sicherheit im Spiel. Hamari begründet dieses Verhalten so: „[P]layers are more influenced by positive factors than negative factors when the two can coexist and interact."[164] Zu einem ähnlichen Ergebnis gelangte Chen in ihrer Studie zur risikohaften Internetnutzung. Hier habe das finanzielle Risiko einen negativen Einfluss auf die zukünftige Absicht Onlinespiele zu spielen, beeinflusse allerdings nicht die derzeitige Spielfrequenz.[165] Als möglichen Grund für diesen Befund gibt Chen an: „[O]nline game players could become addicted to the scenario while playing game and ignore the financial risk."[166] Der reale Geldwert eines Gewinns stellt also einen großen Reiz dar und begünstigt dadurch weiter eine Verstärkung des risikohaften Spielverhaltens.

[162] Vgl. Ladouceur, Robert et. al.: Video lottery: winning expectancies and arousal. In: Addiction H. 6/98. Jg. (2003), S. 733-738, S. 736f.

[163] Vgl. Bühler: Glücksspiel im Gehirn, S. 260.

[164] Shin, Dong-Hee/Shin, Youn-Joo: Why do people play social network games? In: Computers in Human Behavior 27. Jg. (2011), S. 852–861, S. 857.

[165] Vgl. Chen: The impact of perceived risk, intangibility and consumer characteristics on online game playing, S. 1612.

[166] Ebd.

5 Fazit

In den letzten Jahrzehnten hat sich in der Videospielindustrie, bei stetig wachsendem Markt, eine immer stärkere Konkurrenz entwickelt. Dabei mussten sich Hersteller an wechselnde Kundenpräferenzen, steigende Produktionskosten, Verlusten durch Schwarzmarkthandel und sich ständig ändernden Marktbedingungen anpassen. Die Hersteller entwickelten nach und nach verschiedene Bezahlsysteme, um auf dem umkämpften Markt erfolgreich zu bleiben und einen möglichst großen Gewinn zu erzielen. Es setzten sich vor allem die oben beschriebenen Bezahlsysteme wie Pay-to-Play und Free-to-Play mit weiteren Einnahmemöglichkeiten, wie Mikrotransaktionen oder Werbeeinnahmen durch, wobei momentan das Free-to-Play-Modell höhere Umsätze generiert.

Dabei stehen die Hersteller insbesondere bei der Implementierung von Mikrotransaktionen vor einer doppelten Herausforderung. Einerseits wird mit Erfahrungs- und Belohnungssystemen oder der Pflege einer aktiven Community versucht, den Spieler möglichst stark an das Spiel zu binden. Auf der anderen Seite wird versucht, möglichst viele zusätzliche Verkaufssysteme wie Mikrotransaktionen zu implementieren, ohne dabei die Attraktivität des Spiels und die Spielerfahrung für die Nutzer einzuschränken. Um den maximalen Profit zu erzielen, müssen beide konträren Elemente, das Spaß- und Ungestörtheitsempfinden für den Spieler und der Spielunterbrechung bei entgeltlichen Zusatzleistungen, möglichst bis zum Maximum ausgereizt werden. Der Kernaspekt des Free-to-Play-Modells liegt darin, Verkaufssysteme einzuführen, die für einen Großteil der Spieler tolerabel wirken, um aus dem Anteil der tatsächlich zahlenden Spieler den größtmöglichen Umsatz zu erwirtschaften. Anhand des Free-to-Play-MOBAs *League of Legends* konnte der Aufbau und das Modell der zwei Währungen (der erspielbaren Währung und der kostenpflichtigen Premiumwährung) eines kostenlosen Onlinespiels erläutert werden.

Die Verkaufsstrategien in Onlinespielen stellen hierbei einen der Motivationsfaktoren dar, welche auf den Kauf virtueller Items einen Einfluss haben können. Als weitere Faktoren konnten das Bedürfnis zur Selbstpräsentation, Gruppeneffekte wie Peergroups oder Spielergemeinschaften, sowie das Flow-Konzept und der magische Kreis ermittelt werden.

Um die anfänglich genannte Leitfrage zu beantworten, inwiefern diese Mikrotransaktionen in Onlinespielen Risikopotenziale für das Spielerlebnis, den

Spielbegriff und letztlich für den Onlinespieler bergen, sollen noch einmal zu jedem Kriterium die Resultate zusammengetragen werden.

Die Hypothese, dass die Bezahlung mit echtem Geld im Spiel das Spielerlebnis beeinträchtigt, kann weder ausschließlich bestätigt, noch abgewiesen werden, da das Empfinden der Spieler in Bezug auf realen Geldeinsatz im Spiel variiert. Zum einen können Spieler, die virtuelle Items erwerben, welche der reinen Fähigkeitsverbesserung dienen, von der Spielercommunity als minderwertig angesehen werden. Zum anderen seien die Mitspieler nicht abgeneigt, selbst eine Transaktion durchzuführen, sobald sie mit zahlenden Spielern in Kontakt geraten. Zusätzlich sehen einige Spieler die Notwendigkeit der erweiterten Bezahlmethode darin, dass der Zugang für nichtzahlende Spieler ermöglicht werden könne.

Zudem wurde in dieser Arbeit der Geldeinsatz im Spiel auf die Konsequenzen bezüglich der Begriffstrennung zwischen Spiel und Arbeit untersucht. Diese kann nur schwerlich erfolgen, da eine klare Trennung in Onlinespielen mit realem Geldeinsatz und dem professionellen Handel unter den Spielern nicht mehr erfolgen kann. Die Eigenschaften des Onlinespiels mit Mikrotransaktionsimplementierung werden mit den RMT-Arbeitern deutlich, da sie eine strategische und arbeitsorientierte Spielweise einer reinen Spielumgebung, in der Flow und der magische Kreis existieren, entgegensetzen. Castranova schlägt hierzu als Lösungskonzept eine *offene Welt* vor, die den Rechten des realen Marktes unterworfen ist, in welcher die Kommunikation in einer virtuellen Welt im Vordergrund steht und diese Welt klar von dem konventionellen Spiel als *Nicht-Spiel* abgegrenzt wird.

Zuletzt wurden die möglichen Auswirkungen der Mikrotransaktionen auf die Spieler im Hinblick auf die Glücksspielinhalte in MMOGs untersucht. Hier konnte festgestellt werden, dass die Systematik der Verkaufsmethoden in MMOGs mit dem konventionellen Glücksspiel einige Parallelen aufweist, welche vor allem für Personen mit entsprechender Disposition (Stressbelastung, fehlender sozialer Rückhalt) nicht nur psychische, sondern auch finanzielle Gefahren darstellen kann. Besonders Jugendliche, welche sich in einer wichtigen Phase der Identitätsfindung und Entwicklung befinden, aber auch Erwachsene mit Hang zu Glückspielsucht oder anderen Suchterkrankungen, gelten als vulnerabel. Obwohl Jugendliche als besonders gefährdet angesehen werden, gibt es keine Maßnahmen wie ausreichende Jugendschutzbestimmungen, wie diejenigen in der physischen Welt, die sie vor den benannten Gefahren schützen. Die vorherrschende Anonymität in Onlinespielen verhindert vielmehr eine mögliche Altersbestimmung der Spieler und somit effektiven Jugendschutz. In Bezug hierauf könnten die vorherrschenden Jugendbestimmungen, welche für CD-oder Konsolenspiele bereits existieren, konkret auf Onlinespiele angepasst werden, um wirksame Maßnahmen zu realisieren. Die Variablen, die für den Jugendschutz in Onlinespielen eine Rolle spielen, müssten hierfür ermittelt und festgelegt werden.

Das zentrale Problem bildet die relative Freiheit der Spielhersteller auf dem Onlinespielmarkt, indem sie keinen Regelungen unterworfen sind. Würden die Mikrotransaktionsmöglichkeiten in Onlinespielen angemessen gekennzeichnet werden, könnten anfällige Spielergruppen zumindest die Information über das Risikopotenzial eines Spiels erhalten. Dabei ist anzunehmen, dass nicht alle Spieler vom finanziellen und psychischen Risiko gleichermaßen betroffen sind. Allerdings kann das Risiko durch die gruppendynamischen Effekte der Peergroups und Spielercommunities steigen. Mögliche Mechanismen, die zum Jugendschutz und zur Aufklärung beitragen könnten, sind beispielsweise Videos, welche vor den Spielen eingeblendet und Risikofaktoren beschreiben und damit Spieler informieren und warnen können. Eine weitere Möglichkeit ist die Einteilung der Onlinespiele in verschiedene Altersgruppen mit zusätzlichen effektiven Altersüberprüfungen der Minderjährigen. Hierzu müssten die Inhalte der Spiele an die jeweilige Zielgruppe angepasst und die Möglichkeiten des Zukaufes von virtuellen Items für die Free-to-Play-Spiele in den Spielwelten der Jugendlichen klein gehalten werden, um das pathologische Suchtpotenzial zu verringern und den Spielern Schutzmechanismen vor finanziellen Verlusten zu gewährleisten.

Literaturverzeichnis

Arnab, Sylvester et. al.: E-commerce transactions in a virtual environment. Virtual transactions. In: Electron Commer Res H. 3/12. Jg. (2012), S. 379-407.

Arentzen, Ute/Hadeler, Thorsten/Winter, Eggert/: Gabler Wirtschaftslexikon. Die ganze Welt der Wirtschaft: Betriebswirtschaft-Volkswirtschaft-Recht-Steuern. Wiesbaden: Gabler Verlag 2000.

Åslund, Cecilia/Hellström, Charlotta/Leppert, Jerzy/Nilsson, Kent W.: Influences of motives to play and time spent gaming on the negative consequences of adolescent online computer gaming. In: Computers in Human Behavior 28. Jg. (2012), S. 1379-1387.

Aufenanger, Stefan: Homo Ludens. Zum Verhältnis von Spiel und Computerspiel. In: Arnold Picot/Said Zahedani/Albrecht Ziemer (Hg.): Spielend die Zukunft gewinnen. Wachstumsmarkt elektronische Spiele. Berlin/Heidelberg: Springer Verlag 2008, S. 13-23.

Backa, Frank: Gaming und Videospiele: Wie das Marketing im Hintergrund funktioniert. Hamburg: Diplomica Verlag GmbH 2015.

Bainbridge, W. S.: The Scientific Research Potential of Virtual Worlds. In: Science H. 5837/ 317. Jg. (2007), S. 472-476.

Barnes, Stuart/ Guo, Yue: Purchase behavior in virtual worlds: An empirical investigation in Second Life. In: Information & Management 48. Jg. (2011), S. 303-312.

Bodendorf , Frank: Mit Egozentrik zum Erfolg: Grundlagen und Anwendungen von Ziel-Mittel-Weg-Analysen. Renningen: Expert Verlag 2004.

Bone, Michael et. al.: Virtual worlds – past, present, and future. New directions in social computing. In: Decistion Support Systems H. 3/47. Jg. (2009), S. 204-228.

Bourlakis, Michael/Li, Feng/Papagiannidis, Savvas: Making real money in virtual worlds. MMORPGs and emerging business opportunities, challenges and ethical implications in metaverses. In: Technological Forecasting and Social Change H. 5/75. Jg. (2008), S. 610-622.

Bühler, Mira et. al.: Glücksspiel im Gehirn: Neurobiologische Grundlagen pathologischen Glücksspielens. In: SUCHT H. 4/57. Jg. (2011), S. 259-273.

Bundesverband Interaktive Unterhaltungssoftware: Gesamtmarkt Digitale Spiele 2015. http://www.biu-online.de/marktdaten/gesamtmarkt-digitale-spiele-2015/. Zuletzt abgerufen: 13.07.2016.

Bundesverband Interaktive Unterhaltungssoftware: Virtuelle Zusatzinhalte: Alter der Käufer. http://www.biu-online.de/marktdaten/virtuelle-zusatzinhalte-alter-der-kaeufer/. Zuletzt abgerufen: 13.07.2016.

Bundesverband Interaktive Unterhaltungssoftware: Geschlecht der Nutzer. http://www.biu-online.de/marktdaten/online-und-browser-games-geschlecht-der-nutzer/. Zuletzt abgerufen: 13.07.2016.

Bundesverband Interaktive Unterhaltungssoftware: digitaler Spiele in Deutschland 2014. http://www.biu-online.de/marktdaten/infografik-nutzer-digitaler-spiele-in-deutschland-2014/. Zuletzt abgerufen: 13.07.2016.

Bundesrat: Verordnung des Bundesministeriums für Wirtschaft und Technologie. Sechste Verordnung zur Änderung der Spielverordnung. http://www.bmwi.de/DE/Themen/Mittelstand/Mittelstandspolitik/gewerberecht,did=374796.html/. Zuletzt abgerufen: 13.07.2016.

Castranova, Edward: The Right to Play. In: New York Law School Law Review H. 1/49. Jg. (2004), S. 185-210.

Castranova, Edward/Knowles, Isaac/ Ross, Travis L.: Designer, Analyst, Tinker: How Game Analytics Will Contribute to Science. In: Alessandro Canossa/ Anders Drachen/Magy Seif El-Nasr (Hg.): Game Analytics: Maximizing the Value of Player Data. London: Springer Verlag 2013, S. 665-687.

Chen, Lily Shui-Lien: The impact of perceived risk, intangibility and consumer characteristics on online game playing. In: Computers in Human Behavior 26. Jg. (2010), S. 1607-1613.

Chan, Hock Chuan/Kim, Hee-Woong/Kankanhalli, Atreyi: What Motivates People to Purchase Digital Items on Virtual Community Websites? The Desire for Online Self-Presentation. In: Information Systems Research H. 4/23. Jg. (2012), S. 1232-1245.

Chou, Cindy Yunhsin/Sawang, Sukanlaya: Virtual community, purchasing behaviour, and emotional well-being. In: Australasian Marketing Journal H. 3/23. Jg. (2015), S. 207-217.

Chung, Namho/Park, Seung-bae: Mediating roles of self-presentation desire in online game community commitment and trust behavior of Massive Multiplayer Online Role-Playing Games. In: Computers in Human Behavior 27. Jg. (2011), S. 2372–2379.

Crameri, Mario: Effiziente Verrechnung von Kleinsttransaktionen im Internet Commerce. Zürich: vdf Hochschulverlag AG 2000.

Csíkszentmihályi, Mihaly: Play and intrinsic rewards. In: Journal of Humanistic H. 3/15. Jg. (1975), S. 41-63.

Csíkszentmihályi, Mihaly: Flow – der Weg zum Glück. Der Entdecker des Flow-Prinzips erklärt seine Lebensphilosophie. Freiburg im Breisgau: Herder 2010.

Dreyer, Stephan/Lampert, Claudia/Schmidt, Jan: Spielen im Netz. Zur Systematisierung des Phänomens „Online-Games". In: Arbeitspapiere des Hans-Bredow- Institut 19. Jg. (2008), S. 7-96.

Engberding, Jens: Der Handel mit virtuellen Gegenständen in Online-Spielen. Ravensburg, München: Grin Verlag 2009.

Evers, Ellen R. K./van de Ven, N./Weeda, Dorus: The Hidden Cost of Microtransactions: Buying In-Game Advantages in Online Games Decreases a Player's Status. In: International Journal of Internet Science H. 1/10. Jg. (2015), S. 20-36.

Fairfield, Joshua A.T.: Virtual Property. In: Boston University Law Review 85. Jg. (2005), S. 1048-1077.

Goffman, Erving: The presentation of self in everyday life. New York: Anchor 1959.

Grünblatt, Martin: Wie Mikrotransaktionen den Gaming-Markt beleben. Ein Beispiel aus Spanien. In: Marketing Review St. Gallen H. 2/30. Jg. (2013), S. 24-37.

Gui, Xinning/Kou, Yubo: Playing with Strangers: Understanding Temporary Teams in League of Legends. Chi-Play '14 (2014), S. 161-169.

Hamari, Juho: Why do people buy virtual goods? Attitude toward virtual good purchases versus game enjoyment. In: International Journal of Information Management 35. Jg. (2015), S. 299-308.

Hor-Meyll, Luis Fernando/Leal, Gabriela Pasinato Alves/Paula Pessôa, Luís Alexandre Grubits: Influence of virtual communities in purchasing decisions. The participants' perspective. In: Journal of Business Research H. 5/67. Jg. (2014), S. 882-890.

Hsu, Chin-Lung/Lu, Hsi-Peng: Why do people play on-line games? An extended TAM with social influences and flow experience. In: Information & Management 41. Jg. (2004), S. 853-868.

Huizinga, Johan: Homo Ludens. A Study of the Play-Element in Culture. London: Beacon Press 1949.

Jöckel, Sven/Schumann, Christina: Spielen im Netz. Online-Spiele als Kommunikation. In: Klaus Beck/Wolfgang Schweiger (Hg.): Handbuch Online-Kommunikation. Wiesbaden: Springer Verlag 2010, S. 461-484.

Kempf, Matthias: Die internationale Computer- und Videospielindustrie: Structure, Conduct und Performance vor dem Hintergrund zunehmender Medienkonvergenz. Hamburg: Igel Verlag 2010.

Lackner, Thomas: Computerspiel und Lebenswelt: Kulturanthropologische Perspektiven. Bielefeld: transcript Verlag 2014.

Ladouceur, Robert et. al.: Video lottery: winning expectancies and arousal. In: Addiction H. 6/98. Jg. (2003), S. 733-738.

League of Legends: Hextech Crafting and Loot. http://na.leagueoflegends.com/en/site/2016-season-update/champion-mastery.html/. Zuletzt abgerufen: 13.07.2016.

Lehdonvirta, Vili: Virtual item sales as a revenue model. Identifying attributes that drive purchase decisions. In: Electronic Commerce Research H. 1-2 /9. Jg. (2009), S. 97-113.

Lin, Holin/Sun, Chuen-Tsai: Cash Trade Within the Magic Circle: Free-to-Play Game Challenges and Massively Multiplayer Online Game Player Responses. In: Proceedings of DiGRA 2007: Situated Play 4. Jg. (2007), S. 335-343.

Lin, Holin/Sun, Chuen-Tsai: Cash Trade in Free-to-Play Online Games. In: Games and Culture H. 3/6. Jg. (2011), S. 270-287.

Mäntymäkia, Matti/Salo, Jari: Why do teens spend real money in virtual worlds? A consumption values and developmental psychology perspective on virtual consumption. In: International Journal of Information Management 35. Jg. (2015), S. 124-134.

Marx, Karl: Das Kapital. Berlin: Dietz Verlag 1972, Bd. 1.

Mienert, Malte: Total Diffus. Erwachsenwerden in der jugendlichen Gesellschaft. Wiesbaden: VS Verlag für Sozialwissenschaften 2008.

Ministerium für Inneres und Kommunales: Vollzug des Glücksspielstaatsvertrages (GlüStV) vom 15.12.2011 und des Gesetzes zur Ausführung des Glückspielstaatsvertrages vom 13.11.2012 (AG GlüStV NRW). http://www.bundespruefstelle.de/bpjm/Jugendmedienschutz/Games/

onlinespiele.html, Zuletzt abgerufen: 13.07.2016.

Müller, Christoph Michael/Minger, Melanie: Welche Kinder und Jugendliche werden am stärksten durch die Peers beeinflusst? Eine systematische Übersicht für den Bereich dissozialen Verhaltens. In: Empirische Sonderpädagogik 2. Jg. (2013), S. 107-129.

Noack-Napoles, Juliane: Schule als Ort des Aufwachsens, der Entwicklung und der Identität. Jugend, Schule und Identität. In: Jörg Hagedorn (Hrsg.): Selbstwerdung und Identitätskonstruktion im Kontext Schule. Wiesbaden: Springer Verlag 2014, S. 47-62.

Oh, G./Ryu, T.: Game Design on Item-selling Based Payment Model in Korean Online Games. In: Proceedings of the DiGRA 2007 Conference (2007), S. 650-657.

Organisation for Economic Co-Operation and Development: Online Computer and Video Games. In: Digital Economy Papers 98. Jg. (2005), S. 1-68.

Rabowsky, Brent: Interactive Entertainment: A Videogame Industry Guide. USA: Radiosity Pres 2010.

Rothgang, Georg-Wilhelm: Entwicklungspsychologie (Psychologie in der Sozialen Arbeit). Stuttgart: Kohlhammer Verlag 2015.

Gilly, Mary/Schau, Hope Jensen: We Are What We Post? Self-Presentation in Personal Web Space. In: Journal of Consumer Research 30. Jg. (2003), S. 385-404.

Schwarz, Torsten: Big Data im Marketing: Chancen und Möglichkeiten für eine effektive Kundenansprache. Freiburg: Haufe Lexware 2015.

Shelton, Ashleigh K.: Defining the lines between virtual and real world purchases: Second Life sells, but who's buying? In: Computers in Human Behavior 26. Jg. (2010), S. 1223-1227.

Shin, Dong-Hee/Shin, Youn-Joo: Why do people play social network games? In: Computers in Human Behavior 27. Jg. (2011), S. 852–861.

Seiffge-Krenke, Inge/Skaletz, Christian: Längsschnittliche Zusamenhänge zwischen dem Stressbewältigungsverhalten von Eltern und ihren jugendlichen Kindern. In: Zeitschrift für Entwicklungspsychologie und Pädagogische Psychologie H. 3/41. Jg. (2009), S. 109-120.

SuperData Research: Global massively multiplayer online (MMO) games market revenue from 2013 to 2017, by type (in billion U.S. dollars). http://www.statista.com/statistics/343115/mmo-games-market-revenue-f2p-pay/. Zuletzt abgerufen: 13.07.2016.

Tone, Hui-Jie/Yan, Wan-Seng/Zhao, Hao-Rui: The attraction of online games: An important factor for Internet Addiction. In: Computers in Human Behavior 30. Jg. (2014), S. 321-327.

Watson, Max: A medley of meanings: Insights from an instance of gameplay in League of Legends. In: Journal of Comparative Research in Anthropology and Sociology H. 1/6. Jg. (2015), S. 225-243.

Wiemken, Jens: Kostenlose Online-Spiele. http://www.verbraucherbildung.de/downloads/200808_Kostenlose_Online_Spiele_FB_Wiemken.pdf/. Zuletzt abgerufen: 13.07.2016.

Yamaguchi, Hiroshi: An Analysis of Virtual Currencies in Online Games. https://www.researchgate.net/publication/228319455_An_Analysis_of_Virtual_Currencies_in_Online_Games/. Zuletzt abgerufen: 13.07.2016.

Zhong, Zhi-Jin: The effects of collective MMORPG (Massively Multiplayer Online Role-Playing Games) play on gamers' online and offline social capital. In: Computers in Human Behavior H. 6/27. Jg. (2012), S. 2352-2363.

Lightning Source UK Ltd.
Milton Keynes UK
UKHW040244191122
412417UK00018B/348

9 783956 872440